# 韓国の絶望　日本の希望

シンシアリー
SincereLEE

# はじめに

嫌なニュースが増えてきました。実際に悲劇的な事件が起きていることもあるし、様々なメディアやインフラの発展でニュースへのアクセスが容易になったこともあるし、肯定的なニュースより否定的なニュースのほうが「受けがいい」こともあるでしょう。一言で、世の中に「憤怒《ふんぬ》」が溜まっている気がします。

憤怒そのものが無条件に悪いものだとは思えません。しかし、その憤怒をコントロールできない社会に、問題の解決はありえません。制御できない憤怒は、「分断」を好み、分断はいずれ「絶望」を産み落とします。お隣の韓国では、分断が進んでいます。その分断のためにもっとも一般的に使われるのが、相手側を〝悪魔〟とする、いわゆる嫌悪（ヘイト）です。

そんな韓国で、「日本を反面教師に」という論調が溢れています。もちろん、少数ではありますが、「自分の国の心配をしましょう」「私たちが日本を知らないだけです」と主張する人たちもいます。しかし、もはや日本から何かを学ぼうとする雰囲気はなく、日本について何か肯定的なことを話すと、すぐバカにされます。

韓国には、植民地近代化論というものがあります。日本のおかげで近代化できたという主張、すなわち朝鮮（大韓帝国）は自力で近代化できる力がなかったという主張です。この主張は韓国ではタブー視されており、「お前は植民地近代化論を信じるのか」と言われると、そこで負けが決まってしまいます。この植民地近代化論へのアレルギーの現代の姿とでも言いましょうか、とにかく「日本は反面教師にすべきだ」という主張が、いまは定説になっています。

私は個人的に、韓国が日本に追いつけない理由の一つに「日本を知らない」というより、「日本を知っていると勘違いしている」、または「本当の日本を知ってはいけない」という心理があると思っています。この現実と願望の乖離《かいり》が、韓国社会にたびたび炎上をもたらしていると感じます。

しかし実は、いまの韓国社会は、そう明るい状態ではありません。日本からして「似たような問題が日本でも報じられているけど、ああは（韓国のようには）なりたくない」と、韓国を反面教師にするならまだ分かりますが、その逆は到底成立しない状態です。

本書は、40年以上韓国で生まれ育った帰化《きか》日本人が、最新のデータと自分の経験などからまとめた、社会問題の現状とその行く末を論じた本です。社会が「憤怒」から「分断」へ進む時代を、率直に書いてみました。いま韓国を襲っている不自然な、そして急激な「社会自体の老化」もまた、そこから来ていると見ていいでしょう。別の意見を認めないとか、私の意見だけが正しいとか、そんなことが言えるほど私は高慢《こうまん》ではありません。ただ、自分自身に率直に書いたことだけは、自信を持っています。さぁ、どうか、最後のページまでご一緒できればと願ってやみません。

２０２３年12月

シンシアリー

# 目次

## 第三章　異次元の「合計出生率0・78」

## 第四章　崩壊する価値観



## 第五章　韓国の闇金＝私金融（サグミュン）

## 最終章　日本の希望

# 第一章　韓国の絶望

## ●うつ・不安障害が急増中

さて、「はじめに」が終わった直後、ここから早くも本書はダークな話題でスタートするわけですが、まず、少し前置きをさせていただければと思います。私は長らく歯科医師として医療に従事していました。そのため、論を立てるにあたっては、病気関連データをたびたび引用することになります。ただし、本書のすべての章において、その趣旨はあくまで「社会」の話を展開するための補助データであり、誰かを傷つける目的、あるいは罵《ののし》る目的での引用ではありません。「病気にかかりたくてかかる患者などいない、治したくなくて治さない医師などいない」といったところです。病気関連の事柄を他人をバカにする案件として扱うこと自体、私は大嫌いです。「人を傷つけやすい案件」においては、データの引用には慎重に重ねてさらなる慎重が必要で、その趣旨を明確にすることも重要であリましょう。

世の中、交通事故から民間人が住んでいるアパートにロケット砲を打ち込んだという話まで、嫌な話が毎日のように増えています。それだけでなく、「良い話より悪い話のほうが圧倒的に話題になる」という、これまた嫌な風潮が蔓延《まんえん》しています。特に病気関連データは「書き方でインパクトを強化しやすい」からか、意図的に悪い書き方をする場合が目立ちます。しかし、それが病院で診断を受けて「患者」としてカウントされた人たちのデータなのか、それとも似たような症状があるとされる人を「患者」と思わせる書き方、たとえば「苦しんでいる人たち」、または単に医師に相談しただけの人まで含めて全部カウントしたものなのか。さらに言えば、正式に患者なら、実際の症状の重さはどう分類されるのか、特にうつ・不安障害のような、明確な判断が難しい場合にどこからどこまでを問題とするのかなどで、その数値は大いに変動します。

ですから本書では、限られた情報として、できるかぎり記事を原文ママ引用し、最後までこのペースを守ってまいります。少し長くなりましたが、ここまで前置きとして記しておきます。

さて本題です。いま、症状の重さまでは分からないものの（報じている各メディアの記事では、「医療機関を経由した患者の数」となっています）、韓国でうつ・不安障害が急増しています。特に若い世代、10代、20代、さらには10代未満で目まぐるしく急激に増加しています。2023年10月、「国民の力」（韓国与党）所属で国会保健福祉委員会のペク・ジョンホン議員が保健福祉部から受け取った関連資料を分析した結果によれば、韓国では

2019年から2023年5月までの5年間で、うつ・不安障害の患者数が23・1％も増加したことが分かりました。ヘラルド経済系列、「ヘラルド・メディカル」という医療メディアなどが記事にしています（2023年10月5日）。

個人的に、ネットなどで「増えた」という話はよく目にしましたが、患者数として記事になったのは今回が初めての気がします。もともと韓国では、うつや不安障害などで病院を訪れる人は、そこまで多くありませんでした。アジア圏は似たようなものだと言われていますが、韓国には特有の儒教《じゅきょう》思想があり、精神疾患を何か不浄なもの、日本でいうと穢《けが》らわしいものだと思う傾向があります。

韓国社会では、いまでもまだ「身体に障害を持った人は部屋に閉じ込めるのが一番だ」と考える人が多く残っています。体が不自由な人が外に出る、交通機関に乗るなどの行為でトラブルになることがまだまだ頻繁に発生しています。各種キャンペーンなどが展開されてきましたが、変化には時間が必要なのでしょう。

似たような考え方で、「もし精神疾患だと診断されたら、どうすればいいのか？」という恐怖が、他国に比して強いとされています。この傾向は特に女性に強く、男性（夫）のためにすべてを我慢するのが美徳とされているので、なおさらです。こんな理由もあって、日本など他の先進国に比べて、専門的な診療が受けられる医療機関も少ないとされてきました。個人的な意見ですが、それゆえに「データに反映されていない潜在的な患者数」も多いと言えるでしょう。

## ●「Nポ世代」

ペク議員は、2019年以降の調査であることからして、この結果について、新型コロナの影響だとしています。たしかにその影響は大きいのでしょうが、どうでしょう。個人的には、「それだけではない」と思っており、本書の趣旨的にも、このデータが記事になったことに意味を感じます。ちょっと記事から引用してみましょう。

※本書では、〈～〉が引用部分、「……」は中略の意味です。（）があってもそれは記事の一部で、自分で何かを書き加えたときには（※）を入れておきました。それでは、どうぞ。

〈……分析した結果、うつ・不安障害により治療を受けた患者が過去5年間で906万人に達し、うつ・不安障害を同時に治療を受けた患者も55万人だったと明らかにした。昨年の診療患者数は175万人で、新型コロナ前の2019年と比べて23・1%増加したことが分かった。特に、30代未満で50%増加したことが分かった。ペク・ジョンホン議員は「この結果は、新型コロナによる社会的不安が若い層を中心に広がっており、過熱した入試と就職競争ストレス、そして社会両極化の深化など、よく言われるNポ世代で代表される今の時代像を反映するかのように、不安な社会の中に不安感を持って生きていく私たちの姿を見せている」と指摘した……。

……うつ病とは、意欲の低下と憂鬱感を主な症状として様々な認知や精神身体的症状を引き起こし、日常機能の低下をもたらす疾患をいう。不安障害は、重度の恐怖、不安、およびそれに関連する行動的側面を有する様々な疾患を含み、長期間持続するという点で、ストレスによって誘発される一時的な恐怖と不安とも異なる。一次的判断は、文化的、状況的要因を考慮して医師が出す。他の疾患でよく説明されない場合にのみ診断することができる。うつ病と不安障害を同時に治療する患者も過去5年間で55万人に達することが示され、もっと関心と支援が必要だという指摘が出ている〉(『ヘラルドメディカル』)

引用部分に「Nポ世代」という言葉が出てきます。最初は20〜30代が恋愛、結婚、出産を諦《あきら》めた、すなわち拋棄《ほうき》（ポギ）したということで「3ポ世代」という言葉が流行りましたが、それから就職、マイホームなどさらに多くを諦めることになり、5ポ、10ポになって、さらにはNポ（無数に拋棄）という言葉になりました。ジョンポ（全拋）という言葉もあるにはありますが、Nポの方が有名です。

データは2023年5月まで集計されていますが、年間比較として2019年から2022年までの増加率を見てみると、もっとも増えたのは20代で、51％も急増しました。30代も44・4％増。10代が46・9％増、10代未満も48・3％増となっています。

子供には子供の悩みがあるとも言いますが、10代未満になにがあったのでしょうか。後でもう少し触れることになりますが、韓国は幼稚園児の頃から私教育（塾など学校以外の教育）が根強い国なので、幼稚園児が英語塾に通うのは珍しくありませんし、ひょっとすると議員が話した「入試」関連かもしれません。30代未満で括《くく》ると約50％の増加で、性別では女性が64％と、男性（36％）に比べて格段に高いのも特徴です。

もう少し関連情報がないかなと思って調べてみたら、野党「共に民主党」の議員が分析した、うつ病関連の患者数がありました。2022年、初めて100万人を超えたそうで、

２０１８年に比べて23・９％増加しました。20代が18万５９４２人（18・６％増）、30代が16万１０８人（16％増）、40代が14万２０８６人（14・２％増）などでした。こちらも女性が67％で、特に「女性」「20代」を範囲にすると12万１５３４人で、２０１８年に比べて約１１０％も急増しました。与党と野党で犬猿の仲、時代によってはチェーンソーで国会の扉を壊したりする韓国ですが、二人が提示したデータは、概《おおむ》ね同じ流れを示していると言えるでしょう。

先ほど、韓国では精神疾患関連の医療機関が足りないと書きましたが、実は最近数年間、ソウルなどに精神疾患関連医院が増えています。よってこの件、「医療機関が増えたからデータが増えただけ」という主張と、「需要があるから医療機関も増えただけ」という主張が対立しています。どちらも一理あるので、併記しておきます。

## ●自殺率世界1位

さて、ダーク耐性のない方々、初頭からお疲れ様でした。繰り返しになりますが、普通に診療を受けて治療のために頑張っている方々に非礼でなかったことを願います。ただ、そこまで書きながら最初にこの話を持ってきた理由は何なのか。数年間、私がブログ更新のためにチェックしてきた無数の情報（記事やら論文やら）、韓国社会でビッグニュースになった各種事件・事故関連ニュースなどから考えてみると、「『やはり』数字で現れているのか」としか思えなかったからです。そう、このデータは必然です。

もう少し深い闇に足を踏み入れてみますと、韓国では「憤怒調整障害」という間欠性爆発性障害（Intermittent explosive disorder）患者も急増しています。こちらも患者が4年間で15％増えました（『韓国経済』２０２３年8月16日）。この記事では、２０２３年上半期だけで「聞くな犯罪（日本で言う通り魔事件、相手を定めず無差別に襲うこと）」が20件発生したり、２０２３年7月に警察が1か月間調べたところ３００件以上の殺人予告が発見された、などの内容を取り上げながら、『決して無関係ではない』としています。余談ですが、日本でも通り魔殺人関連のニュースはいつも大きく取り上げられますが、それでも年間（未遂含め）10件超えると「多い方」とされます。

韓国の自殺率が高いのは、もう説明の必要すらなくなりました。『ＣＢＳノーカットニュース』（大手キリスト教放送ＣＢＳの非宗教部門ニュースを担当するメディア）は、２０２３年9月10日、「統計庁によると、２０２１年大韓民国の10万人当たりの自殺者数は

26・0人で、一日平均36・6人、40分に1人ずつ自殺を選択しています。OECD（※経済協力開発機構）基準だと23・6人で、2003年から1位となり、この自殺率1位の席を他国に譲ったのは2016年、2017年だけです。もはや全世界が『大韓民国は自殺率1位国家』という固定観念を持っているようです」と、自嘲というか嘆きに近い記事を載せています。

そういえばちょうどこの原稿を書いている10月21日、客の一人が酒場の舞台で日本の歌を歌っていたところ、同じく客の一人、50代の男性が酒場の台所から包丁を持ってきて「なんで日本の歌を歌うのか」と複数回も刺しまくる事件がありましたが、これは憤怒によるものなのか、愛国心（もどき）によるものなのか、もう考えたくもありません。

## ●怒りによる「自傷行為」「録音・盗撮」

見方にもよりますが、こうした社会の雰囲気は、様々な案件で相応のデータとして現れており、私としては「やはり」としか思えません。最近、ブログで取り上げた案件をもう少し書き加えますと、自分の手首をナイフなどで傷つける「リストカット」が大幅に増えています。韓国では、何かの人気商品を購入したり海外旅行に行ってきたことなどを証明するためにＳＮＳに載せる写真を「認証ショット」と言いますが、『国民日報』（２０２３年11月9日）などによると、いま韓国のネット・ＳＮＳでは自傷行為の認証ショットが流行っているそうです。もともとリストカットは、誰かに助けを求める行為だとする見解があります。しかし、まるで流行のように大勢の人が写真をＳＮＳにアップすることに対しては、果たしてそれが救難信号なのかどうか、意見が分かれています。

実際、記事によると、リストカット画像を常習的にアップしているある青年は、そうすることで解放感を得ているのだと言います。そして、手首や腕にもっと広範囲、もっと強く自傷行為を行うようになり、両親が発見したときにはすでに傷だらけで病院送りになった、とも。記事は、この青年のようにストレスを一時的に解消するために自傷行為を試みる10代が大きく増えているとしながら、疾病管理庁が緊急治療室に来院した患者を対象に分析した「２０２２年　損傷の種類と原因統計」という報告書を紹介しています。

その内容によると、緊急治療室来院患者のうち（自傷行為に類する）患者は、２０１２年には２・２％であったものが、２０２２年には５・１％に増加しました。これだけではそこまで特異な変化ではありませんが、10代と20代に限ってみると非常に顕著で、その割合は30・8％から46・2％と10年間で15・4％も増加しました。

専門家たちは、若者を中心とした自傷行為とその「認証」の広がりが、危険な状況につながる場合があると警告しています。画像1枚アップして終わるのではなく、1時間単位で何枚も上げるケースもあり、記者がネットをチェックしてみたところ、何の苦労もなくそうした画像を見つけることができたと言います。個人的に記事でもっとも気になったのは、「相応のハッシュタグをつけて写真を投稿し、他人の反応を調べている」との指摘です。

従来、このような若者の自傷行為の原因は、家族や友人との葛藤に関する問題がもっとも多いとされてきました。しかし、２０２２年の場合は「精神科的問題」が最多の44・1％を占めました。記事によれば、「習慣のように行い、周辺に関心を求める場合が多いという意味だ（原文ママ）」とのことです。これはあくまで私見ですが、この「ＳＮＳでリストカットして関心を得ようとする現象」の根底に流れているのは、〝怒り〟だと見ています。本当に助けを求めるために行う人もいるでしょうから一括りにするつもりはありませんが、どことなく「デモのときに焼身自殺する人が多い」韓国特有の現象と通じる部分があるからです。

最近もそうですが、韓国はデモやストが多い国です。ネットが普及し、ネットを通じて日本の方々と交流できるようになった2000年代初頭のことです。ある掲示板で「韓国では何でデモ（スト）の際に自分で自分に火をつける人が多いのですか？」という質問を受けたことがあります。韓国は労働組合の力が強く、政府との衝突もかなり過激ですが、その労働組合が「英雄」として崇《あが》めている人たち（「烈士」などと呼ばれます）には、デモ中に自分で自分に火をつけ、焼身自殺を図った人が何人も存在します。これはなぜなのか。デモは何かを得るためにやるものなのに、なぜ死を選ぶのか。しかも、類似した事例がかなり多く、これはどういう心理なのか、という質問です。

これに対し、当時の私は「もともとそういうものでは？」と、多少疑問に思いました。なぜなら、韓国以外の国、特に日本では過激なストやデモがなくなってから数十年も経つということを、私は知らなかったのです。ですが、一歩立ち止まって改めて考えてみたとき、頭の中を真っ先によぎったのは「私がどれだけ怒っているのかを世の中に示してやる」とする考えでした。実際、過激なデモを行う人たちが、似たようなセリフを集会でよく使います。これから本書では、「なぜ韓国は怒っているのか」を様々な角度から考察してまいりますが、とりあえず、この焼身自殺は、怒りを象徴する事例のひとつになるでしょう。ひどい話ではありますが。

ひどい話と言えば、韓国では「録音・盗撮」も増えています。なぜなら「相手を信じることができない」からです。同じく私見ですが、なぜ録音・盗撮をするのかといえば、それは「私は怒っていい」という根拠を見つけたいからです。相手が言葉を違《たが》えたとき、手のひらを返したときに反撃できるよう、ほんのわずかな言質《げんち》を取っておくために本当に様々な場面で録音します。

韓国メディアの記事には「○○共和国」という表現がよく出てきますが、その中に「録音共和国」という言葉もあります。「悔しい思いをしないためには、録音が必要だ」とする東亜日報系列の『ＩＴ東亜』（２０２３年８月１日）の記事いわく、録音こそ〝弱者の武器〟という認識が社会全般に広がっているからです。ｉＰｈｏｎｅを選ばないのは通話録音機能がないからだ、という話まであるそうで。記事は「利権争いや『甲』っぷり（※上の立場の人の横暴ぶりのこと）、セクハラ、暴言などの被害が多すぎるため、そうしたものに巻き込まれたとき録音ファイルが決定的証拠になると思い、『録音は必須』とする認識が社会全般に広がり、もはや『世態』である」としています。怒る人が多いから、こちらも〝怒っていい〟とする反撃のための「武器」を持ち歩いているわけです。記事は最後に、「相手に対する信頼ではなく、録音という武器に依存して関係を維持する低信頼社会の悲しい一面です」と嘆いています。

ちなみに録音を違法とする国は多く、日本、イギリスなどでは、通話の録音内容を他人と共有する（※外部に漏らす）ことは違法になります（同記事より）。ですが、韓国にはまだそのような法律はありません。同記事に載っていた事例では、「子供のカバンに録音機を入れたり、車に録音機を設置しておくなどの行為」ですら、本来は違法のはずが、裁判所が「社会通念上の理由」などで問題ないとする場合もあるとのこと。実際、子供が先生に叱られたことに怒り、カバンに録音機を入れて登校させ、全授業を録音した親がいます。少しでも何か問題があれば「反撃」するためです。一部の国会議員がこの問題をなんとかするために法律改正を進めたものの、世論の強烈な反対に遭い、取り消されました。

この録音・盗撮の問題は、『マネートゥデイ』（2023年10月4日）など複数記事で取り上げられており、社会問題となりつつあります。ただ、その録音や映像が、反撃の証拠となるかと言えば、実際にはそうでもありません。単純に証拠能力が不足しているケースもありますが、あまりにも録音する人が増えたことで、相応の対処法を身につけた人も増えたからです。逆に、相手が録音していることを前提にして、話を巧妙にリードして「自分に有利な話」に持っていくテクニックを使う人も増えているとのことで……息苦しいとは、まさにこのことです。

## ●絶望へと至る道

そう、一言で言って、韓国は怒っています。特に若い人たちが、怒っています。ただ、「何に怒っているのか」「何に対して怒るべきか」は、よく分からないでいます。怒ることそれ自体が無条件に悪いことだとは思いませんが、調整できない、自分では制御できない怒りに満ちています。調整できない怒りが何を意味するのか。犯罪に走る人も多いでしょうけれど、さすがに全員が包丁を手にするわけではありません。日常の中で、リアルでオンラインで、果たして「調整できない怒り」は何を意味するのでしょうか。

韓国で生まれ育ったこともあるし、いつも韓国社会を「すべての分野が極端に二分されていて、そのどちらかに属することで自分のアイデンティティーを得ようとする、すなわち味方というよりは『敵』に依存する（悪いヤツがいないと正義が示せない）社会」と書いてきたこともあって、私はこう解いてみます。「（調整できない）怒りは分断になり、分断は絶望になる」と。これが、本書のメインテーマです。

韓国は、絶望へ向かっています。二分された人たちは、それに気づいていません。一方は断絶を、むしろ希望だと見るかもしれません。しかし、それは違います。全体で見ると、分断は絶望です。なぜなら、それは「治らない」からです。分断における精神的な救い、私は拙著などでよく「楽」の字で表現しますが、分断で楽を得た集団は、またその集団で別の内紛を起こし、新しい分断を生み出すことになります。最終的に残るのは、自己愛だけでしょう。

本書は、起承転結の「転」と呼べるような部分がありません。起承承結の本書では、「憤怒」から「分断」、そして「分断」から「絶望」が生まれる過程を、自分なりに書いてまいります。

これまでの「起」では、「怒り」が広がりつつあるという大まかなデータを、韓国側のメディアを交えながら書きましたが、ここからは分断と絶望の話に入ります。最近原稿をサボり過ぎで締め切りまで間に合うかどうか分かりませんが、一応、「結」に「転」の意味も含めて、急に書き方を変え、別の本のような内容にするつもりではありません。分断と絶望がつながっているなら、「希望」は何なのか。実は本当に書きたいのはそちらですが、それについても「結」でお話できれば、と。それが、本書の題にわざわざ「日本」を持ち出した理由でもありますので。

# 第二章　怒りから分断へ

## ●増え始めた「凶器乱動」

「怒っている社会」は、どうなるのでしょうか。予言書みたいに結末まで書く自信はありませんが、少なくともひとつだけは確実です。「分断」が起こります。では、何の分断なのか。それは、敵と味方の二分のことです。そして、そのための扇動《せんどう》と「扇動を楽しみに待つ」人たちが増えます。扇動とは、「怒っていい」という名分を与える、嘘つきたちのことです。いまの韓国社会は怒っています。自分ではなく他の誰か、特定できない範囲、つまり「世の中が悪い」としたいのに、それがなかなか証明できず、イライラしている人が大勢います。そして、彼らは世の中が悪いと言ってくれる「救世主」を待っています。怒りを抑えるのに疲れているけれど、自分で行動を起こす、すなわちなんだかんだで「すべてを諦める」覚悟はできていない人が多いので、何かのきっかけとなるものを提示してくれる人を待ち望んでいます。そして、そのきっかけが嘘だとしても、騙《だま》されたとしても、大して問題ないと思っています。何かきっかけがあればいいだけですから。

最近、韓国で急増した「凶器乱動」事件と、同じ時期に世界的に話題になったフランス暴動をつなげて考えてみるといいでしょう。凶器乱動とは凶器を振り回す事件のことで、通り魔事件と同様に特定人物を狙ったものではない事例も目立っています。先ほども書きましたが、特に２０２３年夏、似たような事件が相次いで起きました、複数のメディアによると、２０２３年になって上半期だけで18件、公式統計にまだカウントされていない件まで含めると、20件以上起こったとされています。日本で通り魔事件が多いとされる年間件数（10～15件）を軽く超えます。そして、それを「楽しむ」人たちも現れました。全国89か所で「～～で凶器乱動を起こす」という犯行予告が相次ぎ、機動隊、特攻隊（海兵隊のようなもの）が配備される騒ぎまでありました。外国人観光客の中には、「ついに北朝鮮が何かやったのか？」と勘違いする人もいたと言われています。警察も総力で動いた結果、7月21日から8月14日まで、殺人予告だけで３００件以上が明らかになり、１４９人を検挙しました。彼らのほとんどは、「面白そうだからやってみただけ」と犯行の意思を否定しました。しかし、爆破予告などと違って、一本の刀でも起こすことができる犯罪なので、本当にやる気がなかったのかどうかは分かりません。

セウォル号沈没事故のときにも、まるで船の中の生存者のように「いま船の中の◯◯にいます。助けてください」と偽のメッセージを発信するといった、いわゆる偽情報の拡散などで数十人が検挙されました。その中には単に悪意、またはいたずらの人もいましたが、

「その場所にいるのが決まっているのに、そこで救助活動したというニュースがないから、私がそういうメッセージを流した」など、自分の言動を「正義」と勘違いしている人も大勢いて、一部マスコミが「正義の執行者のつもりか」と報じたりしました。

ちなみに、新型コロナのときにも、同じ理由で人の行動を物理的に制限しようとする人たちが結構いました。日本でも「マスク警察」という言葉ができたりしましたが、韓国では似たような雰囲気がさらに強く、暴行及び監視・通報も相次ぎました。宗教機関などを監視・盗撮して「集会可能人員を超えた」と通報したり、家政婦が「家族が集まって集会可能人員を超えた」と雇用主を通報したり。これらは、すべて実例です。そうした「私製正義」が流行りやすい国柄というのもあるので、例の検挙された人たちは、本当に全員が「冗談」だったのかどうか。

凶器乱動の話に戻しますと、韓国のメディアの中には、これを「日本化」、社会が日本のようになったとし、まるで日本から「感染《う》った」ような書き方をするところが複数見受けられました。これは韓国メディア、および一部の「専門家」「知識人」とされる人たちがよく使う手法で、何か良からぬことが指摘されると、日本から入ってきたものだとします。「軍事政権の流血鎮圧は日本から入ってきたもの」「韓国で売春が多いのは日本から相応の文化が入ってきたため」などなど、無数に見てきました。今回の凶器乱動もそんな書き方の記事が結構目立ったわけですが、私はこの騒ぎが、日本の通り魔事件と似ている部分がまったくないとは言えないものの、どちらかというと、ほぼ同じ時期に国際的に話題になっていた、フランスの暴動に似ていると思っています。そう、フランスのあの暴動こそ、先ほど書いた「逆・救世主を待つ怒った人たち」の典型例です。

## ●怒りを発散させる「大義名分」探し

2023年6月、パリ近郊で停車命令に従わなかった北アフリカ系の17歳の少年が警察官に射殺されたことで、「これは人種差別だ」と暴動が起きました。合法的手続きによる抗議デモなら、やりたい人がやればいいでしょうけれど、世界的に注目されたのは、口では人種差別など〝それっぽい〟問題を叫びながらも、商店を襲って略奪する暴徒たちの姿でした。亡くなった少年の母親が、放送局のインタビューで暴動をやめるよう涙を流しながら呼びかけ、「彼ら（暴徒たち）は、ただ騒ぐための名分が欲しかっただけ」と話す姿は、実に印象的でした。韓国では、誰かが殺されると遺族が徹底して何かの賠償を要求し、政治家と癒着することも珍しくないので、特に。

　こんな話を見たり聞いたり、書いたりすると、韓国は社会問題の一部を「日本化」のせいと主張しますが、私は「なんだかんだで、日本はまだまだ平和だな」と思わざるを得ません。韓国が気をつけるべきは、フランスのような「名分さえあれば、現社会の価値観や倫理などに何の未練もない」、書き方を変えれば、そういうものを心待ちしている人たちの存在でしょう。その意味で、むしろ「日本化」は、今の韓国からすると目指すべきものかもしれません。日本が韓国を反面教師にするならともかく。

　これは「結」の部分でまとめたいと思いますが、日本はまだ怒りが抑えられている、またはそこまで反社会的ではない方向に怒りが向けられている、そんな国です。一言で言って、なんだかんだ平和です。

　韓国では、まだ暴動と呼べる現象までは起きていませんが、そんなことが起きたら、間違いなく共産主義者たちが動き出し、フランスの暴動よりもさらに理念的・思想的なものになるでしょう。この点で、むしろ韓国社会のほうがフランスより危険だとも言えますが、その理由は二つあります。

　一つは、北朝鮮の存在。表向きには「同じ民族だから」ということにしていますが、親・北朝鮮思想はすでに数十年前から韓国に浸透していました。その思想にハマって学生運動をしていた人たちが、いまは市民団体のリーダーだったり、国会議員だったりします。共産主義革命は、先ほどの「名分が必要なだけの人たち」にとって、最高の福音になるでしょうし、彼らの目標の一つになるかもしれません。しかし、さすがに一気にそこまで行くとはちょっと思えません。どちらかというと、なにか「韓国社会の怒りの爆発」が起きて、それが共産主義革命の道を歩むというプロセスではなく、共産主義者たちが事前に計画して、「怒りの爆発」を誘発する形になるでしょう。

現在の北朝鮮の戦術は、昔（軍事政権時代）とは順番が逆になっていると個人的には思っています。昔は、韓国社会内で暴力革命を起こすことによる急進的な吸収統一（北が南を吸収）を目指していましたが、そこから路線を変更し、連邦制統一による「時間をかけた吸収」を狙っています。韓国でも、金大中《キムデジュン》氏が大統領になって、いわゆる〝左派政権〟が始まってから、活発に議論されるようになりました。連邦制統一、連邦の名前は「高麗（コリョ連邦）」と言いますが、これは一見すると南北双方が政府として存在するように見えて、最終的には統一された「民族政府」を作ることになっています。内乱を起こして統一するのではなく、統一してから南側で内乱を起こせばいいわけです。

韓国の「怒っている人たち」の騒ぎが、すぐにでも共産主義革命につながる可能性はそう高くありません。しかし、危険なのは、彼らの憤怒が韓国内の政治混乱を起こしている点です。本書で日韓関係について書いた部分で詳述いたしますが、韓国はいま政治がとても不安定な状態で、なにかあればすぐにでも政権交代、「反共」と「親北」が簡単に入れ替わる状態にあります。北朝鮮からすると「左派」、すなわち親北政権が誕生するのを望んでいるかもしれません。ですが、北朝鮮が本当に望んでいるのは、韓国の政治が安定しないことです。北朝鮮が望んでいるのは、親北政権ではありません。親北と反共が衝突し、もっと不安定な状態になることです。

この点で気になるのは、韓国の政治家たちが人々の「怒り」と癒着しようとしている点です。韓国の「男女嫌悪」に触れる部分で後述しますが（「後述します」が多すぎて自分でもちょっと心配ですが、忘れずにちゃんと書きます）、怒りにより二つの集団が対立している場合、政治家が「原因となった問題の解決法」を出すのではなく、その集団のどちらかが喜びそうなことばかりを提示します。「韓国の大統領は支持率が下がると反日する（反日すると支持率が上がる）」が定説になっていますが、その国内バージョンとでも言いましょうか。少しでも自分たちに得になりそうな側との癒着を試みるわけです。

そして、韓国がフランスよりも危ういとするもう一つの理由は、韓国社会の「名分づくり」の〝やり方〟です。誰か、または何かの「悪魔化」に慣れており、また、そういうものに扇動されやすい社会です。「悪魔化」については次項で詳しく紹介しますが、この現象を、私は「怒り」が「分断」になる過程と見ています。繰り返しで恐縮ですが、「怒りが分断になって、分断が絶望になる。では、絶望が分断から生まれるとして、希望は何？」。本書の流れが、「怒り」から「分断」へステップアップします。

## ●「悪魔化」が分断を呼ぶ

怒ること自体が悪いことだと言い切ることもできないし、一つの社会に住んでいるから全員が全員を受け入れて、和気あいあいと暮らさなければならないのでしょうか。違います。私はそう思っていません。そんなことを「そうでなければならない」と押し通そうとするやり方が、私は好きではありません。日本の場合は、違う宗教の人たちが実に不思議なほど何の問題もなく暮らしています。日本では（初めて観光に来た20年前からして）、ゲーム機の売上で喧嘩する人をリアルで見たことはあるけれど、信じる神のことで喧嘩する人は見たことがありません。

本書を書いている間、ガザ地区を事実上支配している「ハマス」が、イスラエルの民間人たちを連れ去る事件が起きました。ロシアがウクライナのアパートにロケット砲を撃ち込んだときにも思いましたが、「民間人を狙い撃ちすることだけはやめてほしい」といつも思っています。預言者とされる存在が異なるものの、神様そのものは同じ（アッラーもエホバも、呼び方が異なるだけでどちらも「神様」という意味で、名前ではありません。ユダヤ教でもキリスト教でもイスラム教でも、神は1人しかいないので、同じ神を意味します。ちなみに、神様の名前は誰も知りません）なのに、なんでここまでやり合っているのか。困ったものです。個人的に、「（その神関連の仕事をする）人たちの言動で、その神からも離れたくなる」経験をしただけに、なおさら残念に思います。

ただ、本書では、というか「私」そのものが、パレスチナ地域の問題にこれ以上触れるつもりはありません。まず知識もないし、深く考えたことも、その状況の一部だったこと（現地で暮らすなど）もないからです。なにより、ただでさえ書いていると話がズレますが、こんな話までするとと原稿をまとめるときに私が絶望しそうです。本書で言いたいのは、アメリカなど、実際の戦場から遠く離れた多くの国で発生した「分断」の形です。中には、単に「私は西側（民主主義）だから」という理由だけでイスラエルを支持する人たちもいたし、パレスチナを支持する人たちの中には、ハマスとパレスチナ政府の区別すらちゃんとできない人たちもいました。しかも、決して全員ではないにせよ、彼らの中には、犠牲となった民間人たちを侮辱する、嘲笑《あざわら》う、弄《もてあそ》ぶ人たちもいました。アメリカのど真ん中でのことです。

その際、米国下院議員のリッチ・トレス氏が、とても興味深いキーワードを持ち出しました。一般的にアメリカでは「リベラル支持にはパレスチナ支持が多い」とされていますが、リッチ・トレス議員はリベラル側でありながらイスラエル支持を宣言し、イスラエルの民間人の被害を嘲笑う人たちにこう話しました。「イスラエルを『悪魔』化して、テロリストたちの非人間的な側面を隠そうとすることは、『道徳的な確実さ』の旗を掲げているように見えるが、実は道徳的な混同を招こうとしているだけだ」。そう、この「悪魔化」こそが、怒りを分断の領域に引き上げる、まるで自分の怒りを何かの宗教、すなわち法律などでは判断できない崇高で不可侵の領域にしようとする、最悪のキーワードです。怒りを抑えられなくなった人たちが待つ、歪んだ救世主でもあります。

自分以外の対象を悪魔化する人たち。そして、その悪魔に依存して自分の問題を隠そうとする人たち。人種差別という名で暴動を起こすことを問題としない人たちもそうですし、長い間、韓国が日本を悪魔化して、被害者としての自分を演出し、多くのものを得てきた日韓の歴史も、ある意味、悪魔化の教科書だと言えるでしょう。この悪魔化によって、憤怒は分断へと形を変えます。悪魔から断絶された領域を築き上げることで、自分の正義で満たされる領域をつくろうとしているわけです。

と、ここで先ほどから「もっと分かりやすい具体例はないっすか?」と言われている気がします。そうですね、ここから怒りが分断の領域に入った典型例を一つ紹介しましょう。意外かも知れませんが、「合計出生率《しゅっしょうりつ》」の話になります。

# 第三章　異次元の「合計出生率0・78」

## ●「大韓民国は完全に終わりましたね」

　少子高齢化は、日本でも大きな問題となっています。「合計出生率（韓国では合計出産率という表現のほうが一般的ですが）」を見てみると、日本は1・2人から1・3人といったところです。人口を維持するには2・1人必要だという話もあります。一時はこの問題がまるで日本「だけ」のもののように論じられる時代もありましたが、最近はそうでもありません。世界各国で問題になっており、多くの移民を受け入れている米国でも1・5人まで下がっています。

　言うまでもなく、各国は出生率対策に多くの時間と税金を使っていますが、そんな中、海外のメディアが韓国に注目するようになりました。累計で300兆ウォン以上を使っても合計出生率が2022年には0・78人まで下がっており、2023年下半期は0・7人にまで下がりました。韓国の人口は約5000万人ですが、これだけの人口の国で、ここまで出生率が下がった例は、いままでありません。一部の学者たちの間では、「合計出生率0・7人というのは、戦時など大きな混乱がないと出てこない数値だ」という声も聞こえます。

２０２３年8月、「わお、大韓民国は完全に終わりましたね」が、ちょっとしたネットミーム（ネットでウケて、拡散していくもの）になりました。同じように自国をことさらに卑下する書き込みは、韓国のネット上に無数にあります。ちょうど本稿を書いている頃には、アジア競技大会のサッカーの試合で韓国が日本に勝ったという理由だけで、「朝鮮人（原文ママ）どもが喜ぶのが気に入らなかった」と国旗を燃やして写真をネットに載せる人もいました（しつこいようですが、韓国の掲示板で韓国に対して、です）。ちなみに、当時の日本チームはU-22（21歳まで）チームで、国家代表とは言えない戦力でした。こういう人たちは、少なくともまともな意味で「日本の味方」とは言えないでしょう。単に韓国が嫌いだから、韓国が嫌う日本を好きだとしているだけです。

大体、日本の皆さんからして、韓国人がサッカーの試合結果を理由に韓国の国旗を燃やしたと聞いて、「嬉しい」「彼こそ日本の味方だ」と思えますか？　そんなはずないでしょう。「嫌い」の価値観で「好き」を語って、同調が得られるわけがありません。これは、韓国関連のブログや本を書いている私だからこそ、「日本が好き」と書くたびに、自分で自分に言い聞かせる部分でもあります。帰化した経緯を記した『韓国人として生まれ、日本人として生きる』という本を書いたばかりなので、特にそうです。

こんなふうに、韓国人が「韓国終わった」「終われ」「死ね」「全員死ね（以前は『〜以外全員死ね』という表現が流行りましたが、最近は例外を置かずに『全員死ね』『国ごと滅べ』が多い気がします）」などと、憤怒を撒《ま》き散らかすのは珍しいことではありません。「ヘル朝鮮（地獄のような韓国）」という言葉はあまりにも有名で、マスコミ記事などにも説明なしに使われたりします。ただ、流行語ならともかく、やりすぎると韓国では反社会的言動がすぎるとされ、下手すれば警察沙汰、裁判沙汰です。ちなみに、この国旗を燃やした人も、国旗毀損《きそん》を禁ずる関連法律で警察が追跡していると聞きました。

ただ、先ほどの「わお、大韓民国は完全に終わりましたね」は、そんな類のものではありません。なんと韓国に何の悪意も持っていない外国の社会学者が、つい口にしてしまった「（良くない意味での）驚嘆」です。日本でいうとNHK・E（教育テレビジョン）のような放送局として、韓国教育放送公社（EBS）というチャンネルがあります。そのEBSの『ドキュメンタリーK〜人口大企画、超低出産〜』という番組で、カリフォルニア大学法科大学院名誉教授であるジョアン・ウィリアムズ氏の助言を得ようと、番組スタッフが韓国の合計特殊出生率データを教授に見せました。すると教授は、「こんなに低い数値の出生率を見るのは初めてだ」としながら、両手で頭を抱えて、「わお、韓国は完全に終わりましたね」と話しました。

教授は社会学者でもあり、韓国でよく女性問題、労働問題などをテーマに講演会を行っている、韓国で言う「親韓派」の女性です。写真は載せませんが、データを見た教授のお顔（表情）は、絶望と驚きでいっぱいの映画の名俳優のようでした。そのキャプチャー画像がSNSなどで拡散し、一気に有名になりました。「その通りですw」というコメントとともに。

## ●異常な速度で進行する社会の老化

韓国の社会問題関連記事を読んでみると、いつも二つの共通点があります。自殺率、学級崩壊、ニート（引きこもり）、出生率などなど、ほぼすべての案件での共通点です。一つは、日本ではこんな社会問題があると、どことなく嬉しそうに韓国マスコミが積極的に報道します。しばらくすると、日本だけでなく他の国でも似たような問題があるとされ、韓国でも同じ問題があると報じられるようになります。またしばらくすると、その問題が日本では少しずつ改善され、韓国では悪化し、日本よりひどいと比較されるようになる。

そしてもう一つは、その悪化のスピードが、日本はおろか他の国と比べて、異常なまでに速いことです。

合計出生率もそうです。すでに2018年から1人を下回るようになりました。2018年0・98人（出生児数40・6万人）、2019年0・92人（35・8万人）、2020年0・84人（32・7万人）、2021年0・81人（30・3万人）、2022年0・78人（24・9万人）。

2012年には48万4550人だったので、約10年で出生児数が半数になりました。2023年になってからの月別出生児数も、1月2万3179人（前年同期比でマイナス6％）、2月1万9939人（マイナス3・7％）、3月2万1138人（マイナス8・1％）、4月1万8484人（マイナス12・7％）、5月1万8988人（マイナス5・4％）、6月1万8615人（マイナス1・6％）、7月1万9102人（マイナス6・7％）です。

2022年9月、これといった理由は特定できませんが、出生児数が前年同月比で13人増えたことを除けば、事実上2015年12月から91か月間、出生児の減少傾向が続いています。

もうちょっと遡《さかのぼ》ってみましょうか。確認できるデータの範囲では、1970年の出生児数で、100万人を少し超えたことがあります。それから約半分（49万人）になったのが、2002年。100万人から半分になるまで30年以上かかったわけです。そして、それから10年間は大きな変動がありませんでしたが、2012年（48万4550人）から2022年（24万9000人）にかけて、出生児数が半分になるまで10年しかかかりませんでした。

韓国側の記事では、このデータを「約50年で、生まれる赤ちゃんの数が4分の1になった」と表現する文章が、よく目につきます。ちなみに、地域別に見ると、特に首都ソウルの合計出生率が低く、2022年の合計出生率は0・59人という、とんでもない記録を出しました。2023年4～6月期では、0・53人です。

合計出生率の減少について世界的に同じ問題で悩む国が多いのは事実ですが、なぜこんなに韓国だけ「ずば抜けたスピードで」減少しているのか。それには理由があります。多すぎて困るほど、あります。専門家からも多くの指摘が出ていますが、まず、無難な指摘とされるものをいくつか取り上げてみます。

「仕事と子育てを並行するのが難しいこと」「全般的な経済的環境が思わしくないこと」「ソウルなど首都圏への集中がすごいこと」「子供のほとんどが何かの塾に通うなど、不思議なほど高い私教育熱（そのための費用負担）」、そして「住宅が高すぎること」などなどです。

結局、ある程度資産を蓄積できている人ならともかく、若い人たち、青年たちは、結婚したくてもできない、家庭を持つことの難易度が高すぎる、つまり子供をつくることが「無理ゲー」に挑むような状況だから、人口が減少するしかない、というのです。

これは正論そのものではありません。「そうじゃない」と言うことはできないでしょう。ただ、分かっていてもどうにもならないのもまた事実です。いくつか少しだけ詳しく見てみます。韓国では、2022年末基準で、全体人口のうち半分を超える50・3%（2605万人）が首都圏に住んでいます。日本では首都圏というとかなり広い範囲を指しますが、韓国は首都圏といっても、ソウルと京畿道（キョンギド）、仁川（インチョン）だけです。他にも首都圏集中化をめぐって悩んでいる国は多いですが、それでも全体人口において首都圏人口比率は、イギリス（12・5%）、フランス（18%）、日本（28%）に比べて圧倒的です。どれだけよくできている都市でも、人が集中しすぎると、全員の教育、働き口、老後をカバーすることはできません。

全国1000大企業のうち529社がソウルにあり、売上基準で見るとさらに集中が激しく、ソウルが65・4%に上ります。他の首都圏の京畿道（182社・売上基準19・7

%）と仁川（40社・同2・6%）を合わせると、1000大企業のうち751社（87・7%）が首都圏に密集していることになります。もうほかの地域には、「大企業は『ない』のが普通」と思ったほうがいいでしょう。

2020年、勤労所得の年末精算（日本で言う年末調整）結果を基準にすると、上位1%の勤労所得者は19万4953人で、その75%の14万5322人が首都圏に集中しています。後述する日韓の「事実上の収入」比較についての考察部分にも書いておきましたが、家の価格も、ソウル市で家を買うには、平均年収の27・7年分が必要です（東京は12・4年分）。

子供を幼児の頃から様々な塾に通わせる「私教育」もまた、世界的に有名です。軍事政権の頃から大学生（当時、大学生はすごいエリートでした）を家に呼んで子に個人授業を受けさせる、いわゆる「グァウェ（課外）授業」が、社会分裂を招くと問題とされましたが、それから様々な形になり、韓国の子供たちと、その親（の財布）を苦しめてきました。特に英語関連での私教育はまさに狂風とも言えるレベルで、韓国では以前から舌小帯《ぜっしょうたい》が短い「舌小帯短縮症」の人が多く、英語発音の邪魔になるという理由で赤ちゃんの舌小帯を切断してきました。2002年にはアメリカのロサンゼルス・タイムズが、「韓国では英語教育が宗教的なものになっている」としながら、この件を記事にしたこともあります（『中央日報日本語版』２００２年4月1日など）。ちなみに、詳しくは書きませんが、一部の宗教では体のとある部分を切る儀式がありますので、それにたとえて皮肉ったのでしょう。最近話題になっているのは、幼稚園児を対象に1日4～8時間の授業を行う「英語幼稚園」で、ソウルだけで３００か所以上あり、授業料は1か月１３０万ウォン（２０２３年11月時点で約14万円）を超える所も多いと言われています。ソウルの英語幼稚園の授業料の平均を出してみると、４年制大学の平均授業料より高いそうです。しかも、調査してみたらその講師の7割はライセンスなしの無免許外国人だった、とのことでして。もうどこからどうツッコめばいいのか分かりません。こういう話がニュースになると、韓国ではほぼ例外なく「あ、だからこんなにノーベル賞がたくさんもらえるのか」という皮肉コメントが付いたりします。

## ●子供に「身長が伸びる薬」を投与

そういえば、早期私教育とはちょっと違う気もしますが、ちょうど２０２３年10月に韓国で話題になったニュースを一つ書き加えてみます。身長を気にする人はどこの国にもいると思います。また、あくまで一般論ではありますが、身長が必要な職業、スポーツなどもありますので、背の低さで悲観する人もいるかもしれません。ただ、そんな場合でもないのに、自分の身長を「スペック」、すなわち社会的階級を決める「性能」か何かだと勘違いする人が多い、それがまた韓国社会の抱える陰の一つで、他人と比べることを気にする韓国人の心理の分かりやすい現れでもあります。なんで分かりやすいのか。物理的に比べることができるからです。英語の点数みたいな感覚ですが、こちらは英語とは異なり成績が落ちたりしません。

先ほど夏に通り魔事件が多く発生したという話をしましたが、その中で犯人が「背が低くて社会的に見下されてきた」ことを犯行の理由として話したりしていました。ただ、彼はそこまで背が低いほうでもない（168cm）ので、ネットでは「(本当の理由は違うのに）社会的に問題とされる話を持ち出して、言い訳にしようとしているのではないか」という反論もありました。

物理的に順位付けができるもの、その中でもルッキズム（外見至上主義）とも関係している身長を特に気にする韓国社会。この風潮は、特に外国に住む人たちを中心に、「やりすぎだ」とよく指摘されています。韓国で背が高いと言っても、欧米に行けば「背が低い」としか認識されません。しかし、外国に住む人々は、そんなことで何か苦しい思いをしたことなどない、というのです。背が高くても、気にするほどかっこよくなるわけでもない、と。しかし、韓国での高身長への憧れはとどまることを知らず、ほとんどの場合は親が子に身長を伸ばす医療的行為を強要したりします。20歳近くになると、もう薬や注射での骨の成長は望めなくなるからです。大して背が低いわけでもないのに、わざわざ脚そのものを延長する手術を受ける人も結構います。

そうした風潮がよく分かるものとして、「背が伸びる薬」と呼ばれるものがあります。なにか怪しい薬のような感じですが、病院で処方されるホルモン関連の薬です。こちらにはあまり知識がありませんが、記事によると、注射剤タイプもあるそうです。一般的に「背が伸びる薬」と言われてはいますが、本来は、特定のホルモンが足りない人など、そうした処方を必要とする人たちのための薬です。しかし、現実はそうではありません。

韓国では、2021年から2023年9月まで、全国の医療機関にこの類の薬が約1066万個供給されました。この期間中、国内の「本当にこういう薬を必要とする人（先のホルモン関連など）」は、約7万8218人。そのうち約3万2698人に、30万700

0個が処方されました。では、残りはどこへいったのか。聯合《れんごう》ニュースの記事によると、97％にあたる1035万個は、本当はこの薬を必要としない子供、青少年たちに（保険適用なしで）処方されました。単価は、高いものは130万ウォンを超えるものもあり、年間1000万ウォン（2023年11月時点で約110万円）かかる場合もあるとか。記事で紹介している製品は医療機関で処方する注射剤で、自宅で週に6～7回、体に直接注射する必要があります。

ですがこの薬、実は「ホルモン不足など、この薬を必要とする人たち」以外の人には、何の効果もない可能性（効果確認なし）が提起されました。背を伸ばす目的での臨床データが存在しない、とのことです。それはそうでしょう。そもそもそんな目的の薬ではないので。野党議員が国会で発表した内容ですが、そもそもホルモンが普通の範囲の人がこの薬を使うこと自体が推奨されていないと、各メディアが大きく取り上げました。

〈……成長ホルモンが入っており、背が伸びるという別名「背が伸びる薬」が、効能・効果を確認する過程を一度も経ていないことが分かった。25日、国会保健福祉委員会所属のキム・ヨンジュ『共に民主党』議員が食品医薬品安全処、国民健康保険公団、健康保険審査評価院から受け取った資料によると、国内医療機関で処方されている別名「背伸び薬」、「背伸び注射」の効能、効果はもちろん安全性及び有効性も一度も確認されたことがない。また、これらの薬は成長ホルモンが不足している患者を対象にのみ臨床試験を行った事実も明らかになった。食薬処の資料によると、国内医療機関で処方されている成長ホルモン・バイオ医薬品は計24個だ……これらが、病気になっていない小児、青少年などにも効果があるのか、一度も確認されたことがないという話だ〉(『聯合ニュース』２０２３年10月25日)

　このように、このニュースは韓国でかなり大きく報じられました。そもそも、「必要としない人たちへの処方」はすべての薬において勧告されない、または禁止とされるものであり、本件も例外ではありません。保健福祉部傘下の「韓国保健医療研究院」という機関が行った「小児青少年対象身長成長目的の成長ホルモン治療」という研究結果でも、「許可範囲を超えた成長ホルモンの使用は科学的根拠が不足しており勧告せず、ただ臨床研究の状況でのみ適用されなければならない」となっています。何かの疾患があるならともかく、単純に背を伸ばしたいという理由での処方は勧告しない、と。それに、本当に必要とする人たちの手に渡らなくなっていた可能性もあるので、いろいろ、もうムチャクチャです。

ここまで書いてきただけでも、「あ、これは赤ちゃん生まれなくなるな」と納得できます。でも、これはまだ序の口です。家計債務、各種詐欺の蔓延なども、人々が子をつくらない大きな理由ですが、それは「怒り」についてもう少し書きながら、追々《おいおい》詳しく見ていきたいと思います。

## ●対立の根を深める「嫌悪（ヒョモ）」

韓国の出生率が急激に低下している。ただ、この事実だけでは、すなわち「分断」へとは話がつながりません。たしかに、過度な社会問題が社会的分断の現れの一つだと見ることは十分に可能です。しかし、いろいろな話題が出ているのでもう忘れた方もおられるかもしれませんが、ここで私が提示したいのは、「憤怒が分断になる、分かりやすい具体例としての合計出生率」です。その点、実は韓国で合計出生率が急降下している背景として、もう一つ、メディアがあまり取り上げない要因を指摘する必要があるでしょう。そう、韓国のネット世論を知っている人なら誰もが認めながらも、あまり表向きにはしない話、したくない話、いつまでも「ネットの一部の人たちがやっているだけのこと」にとどめておきたい話。これぞ悪魔化の一つである「異性嫌悪」についてです。男が女を、女が男を敵視し、嫌悪（ヒョモ）する現象のことです。

嫌悪（ヒョモ）は、一時は「〇〇嫌悪」として、かなり流行った言葉ですが、最近はあまり目立たなくなりました。十数年以上も同じテーマでブログを毎日（サボる日も多いですが）更新しているので分かりますが、数年前までは、異性だけでなくいくつかの分野で、「葛藤《かっとう》」の強化版としてよく記事に載っていました。

たとえば、韓国では若い世代が前の世代を敵視する風潮が強くなっています。日本にも親ガチャという言葉がありますが、韓国ではすでに10年以上前から「スプーン階級論」など、なにがしかの階級付けが流行りました。主に財産、年収などで人をランク付けするもので、一見、社会的な貧富の格差を皮肉るもののように見えますし、たしかにそんな側面もあります。ですが、実際は単に大金持ちの子で生まれなかったことを嘆くだけの内容です。スプーン階級論における、「銀のスプーンをくわえて生まれた」とは、貴族など豊かな家に生まれたという意味です。身分の低い乳母《うば》が貴族の赤ちゃんに直接授乳することは許されず、いったん銀のスプーンに乳を出して、それを赤ちゃんに飲ませていたので、こんな表現が生まれました。

また、左派政権ができた2003年から教育を受けた人たちが、「高齢者は保守しか知らない」とし、ある種の政治的分断が起きたのも一つの原因です。不幸中の幸い、いまのところまだ「高齢者対若者」の物理的衝突は起きていませんが、高齢者の無賃乗車制度を廃止せよとの請願運動が起きたり、どうも雰囲気は重いままです。そうした際にも「高齢層嫌悪」などの言葉が普通に記事に載っていましたが、最近はそんな表現は目立ちません。「嫌悪」が外国で「ヘイト」と訳されることを気にしたのではないか、と個人的に考えていますが、確証はありません。とにかく、一時よりはあまり目にしなくなりました。

本題の男女嫌悪の場合も、「男女葛藤」「ジェンダー戦争」などの表現が主流ですが、個人的に、嫌悪がもっとも的を射た表現だと思っています。なぜなら、その実態はヘイトそのものですから。たとえば、女性が車に轢《ひ》かれる事故があったとして、それを「女だから避けられなかっただけ」とすると、称賛一色になる空間が存在すると思ってみてください。それを、嫌悪でないとするとなんと言えばいいのでしょうか。

## ●深刻化する「異性嫌悪」――オリンピックの英雄の受難

　合計出生率関連の話題は世界各国でニュースになっており、日本でも耳にタコができるほど聞いた・聞かされましたが、男（女）が女（男）を嫌っているから合計出生率が下がるという話だけは、いまのところ韓国以外では聞いたことがありません。しかし、これは結構重要な問題です。主に20代を中心に広がっているので、これから「異性嫌悪」をさらに若い人たちが見て聞いて、10年後には20代と30代に及んでいるでしょうし、さらに40代まで広がるのはすぐです。このままでは「異性嫌悪」が、どんどんその影響力を広げていくことでしょう。私は、これ〝だけ〟が韓国の合計出生率急低下の原因だとは思えないものの、いまもある程度、確実に影響は及ぼしていて、これからさらに影響力を広げて、文化もどきとして定着して行く可能性すらある、そう見ています。

　なにせネットで女性による男性嫌悪、男性による女性嫌悪の流れを見つけるのは、そう難しくないからです。〝流れ〟と書いたのは、少数派の意見だけでできるものではないという意味です。

　男女嫌悪は大手メディア、外国メディアからも問題視されています。まず、『朝鮮日報』

（2022年5月19日）の記事から現状を読み取ってみましょう。ちょうど、インターネット放送をしていた20代の女性が「フェミニストだ」というレッテルを貼られ、「コメント暴力」を受けて自殺する事件が起きました。

フェミニストは、もともとは男女に関する社会の保守的価値観以外にも、多様さをもっと尊重しようという主張をする人たちであり、別に悪いことをしているわけではありません（最近は相手に自分の思想をゴリ押しする人たちも目立つので困ったものですが）。ですが、韓国でフェミニストといえば、女性の場合は男性嫌悪者、男性の場合は女性擁護者《ようご》ということになります。

先ほどの「フェミニストだ」というレッテル貼りも、「男性嫌悪者だ」という意味になります。なにかそれっぽいジェスチャーやあいまいな発言だけでも、いったん「そういうこと」にされると、そこですべてが崩れます。自殺した女性も、本当に男性嫌悪者なのかどうかはわかりません。「そういうこと」にされて母親が先に自殺し、それでも「お前の母が死んだのはお前が男性嫌悪者だからだ」などのコメントが相次ぎ、結局、本人も母親の後を追いました。ここまで来ると、たとえ本物の男性嫌悪者だったとしても、あまりにもひどい結果です。

外国メディアは、「韓国ではなぜフェミニストが『無条件の攻撃対象』にされるのか」と、この現象を不思議に思っていました。フェミニストという単語が、男性（女性）嫌悪者を意味する言葉、すなわち「私の敵」を意味する言葉と重複する意味になっている社会的雰囲気が、理解できなかったからです。一例として、2021年の東京オリンピックのときも、似たような話題がありました。

当時20歳だった韓国の女子アーチェリー選手、アン・サン氏は、なんと一人で3つの金メダルを手にしました。言うまでもなく、スーパースターの誕生です。韓国は以前から洋弓（アーチェリー）に強い国でしたが、オリンピック3冠はアン選手が初めてです。しかし、ネットコミュニティーを中心に、彼女をフェミニストだとする誹謗中傷が巻き起こり、炎上しました。2021年7月のことで、複数のメディアによると、主に20代男性が中心だったとのことです。実際、この問題で20代男性がもっとも積極的に活動していたと言われており、彼らを20（イ）代（デ）男（ナム）、イデナムと呼んだりします。もちろん使うシチュエーションにもよりますが、若い男性を軽蔑する言葉として定着しています。

では、なぜアン選手がフェミニストだという主張が巻き起こったのか。理由は特にありません。アン選手のヘアスタイルがショートカットだった、ただそれだけです。後付けでいろいろ「証拠もどき」が出てきましたが、どれもあいまいなものばかり。ショートカットは、フェミニスト女性たちが男性に対する抗議の意味とするヘアスタイルだ、というか、そういうことになっている、それだけが理由でした。

この件を報じる外国メディアの一部は、「そもそもアン選手がフェミニストなのかどうかよりも、（なにか社会的に問題になるようなことはなにもしていないのに）フェミニストということだけでなんでここまで騒ぎになるのかよく分からない」という疑問を提起したりしました。そう、彼らにはフェミニストという言葉と異性嫌悪が、かなりの部分で重複している韓国社会の実情が分からなかったのでしょう。

普通の暮らしの中だと大して問題にされない発言でも、戦時に発言すると大問題に発展することもあります。他の国では、まだフェミニストというだけで炎上事態になったりはしませんが、韓国の場合、異性嫌悪は、開戦前夜もしくはすでに戦時なので、些細《ささい》なことでも大問題になってしまうわけです。異性嫌悪で戦時中の韓国では、ショートカット、フェミニスト、そんな言葉だけでももう十分なほど喧嘩の理由になるし、これだけで殺人事件も起きています。

この話題の冒頭で、「『嫌悪』という言葉は最近あまり目立たなくなった」と書きましたが、その言葉があまり使われなくなっただけで、「男女嫌悪などない」とするのは嘘です。隠しているだけです。『朝鮮日報』とソウル大社会発展研究所が16歳以上の男女1786人を対象とした「2022大韓民国ジェンダー意識調査」を見てみると、韓国民は男女葛藤が主に現れる空間として職場（49・4％）とオンラインコミュニティー・ソーシャルメディア（37・8％）を挙げ、「オンラインコミュニティーが男女の間の葛藤を増幅させる」と認めている韓国民は、調査に応じた人の68・9％に達しました。いまのところ悪化する一方というのが私の個人的な認識ですが、大勢の人が問題の存在そのものには気づいている、ということでしょう。言い換えれば、その分、広がっているわけです。

## ●韓国の社会的断層は、人種でもなく移民でもなく「性別」

このような男女嫌悪が、実は出生率にも影響を及ぼしていること。いままでこのような見解が韓国側のメディアでちゃんと記事になったのは、2023年3月、一部のメディア（『聯合ニュース』など）だけでした。それも、外国でこの問題が取り上げられたからです。性別、経済関連を主に扱うジャーナリスト、アンナ・ルイズ・サッスマン（Anna Louies

Sussman）氏が、この問題を2023年3月21日、米国時事月刊誌『ジ・アトランティック』に寄稿しました。「韓国人が子供をつくらない本当の理由」をメインテーマにした寄稿文で、韓国メディアの記事がネット公開した部分だけまとめてみますと、一言で、「韓国で起きている社会的『断層』は、他の国のように人種や移民問題ではなく、実は性別である」です。

以下、韓国メディアによって公開された部分だけ整理して、サッスマン氏の主張を引用しながら進めますが、本書での「引用」は、あくまで私が私の持論を展開するにおいて必要だから引用するものであり、その引用元の著者・記者・作家の方々の思想、活動内容などに全面的に同意するという意味ではありません。記事ならともかく、こういう寄稿文だとなおさらです。これはこの寄稿文だけでなく本書全般においてそうですので、その部分もまたご理解の程をお願いいたします。サッスマン氏を名指ししているわけではありませんが、こういう主張をする人たちには、理屈がおかしい、女性差別をなくす方法を男性差別から見つけようとする人たちもいるので、もしやと思って、改めてお願いいたします。差別で差別を解決できるはずがないのに、悲しいものです。

さて、寄稿文の中心内容は、男性において女性が、女性において男性が、敵対勢力、さらには敵対感情すら超えた「絶対に関わりたくない対象」になっており、女（男）は男（女）が何を考えているのかまったく気にもしなくなった、というものです。サッスマン氏が自らインタビューした韓国のある女性は、どんなタイプが好きだとか、または嫌いだとか、そんな内容ではなく、ただただ男たちと何もしたくない、関わりたくないという趣旨の話をしました。サッスマン氏は、この断層、本書で「分断」としているこの現象こそが、韓国の低い出生率の始発点だとします。

本書もそうですがサッスマン氏もまた、これ〝だけ〟が原因だと安易な主張をしているわけではありません。韓国にも養育費用など育児に関する他国でも問題とされる多くの問題点があるし、特に住居問題などが結婚と出産において大きな障害物であると認めています。しかし、それよりももっと「基本的な力学関係」が働いている、と。その基本的な関係こそが、女性と男性の間の嫌悪、韓国メディアの言う「ジェンダー戦争」であり、多くのメディアはこの点を見落としている、軽く見過ぎている、と。

韓国の女性たちは、もともと儒教思想の影響を強く受けた韓国社会で、家父長的な考えに支配され、「我慢すること」を美徳のように教えられてきました。しかし、教育水準が高くなり、女性の社会進出が広がったこと、さらにこれまでの価値観が他国より女性に不利なものだっただけに、余計に強い反感、いわば補償心理を抱き、相応の権利を求めるようになりました。彼女たちが不満を抱く現状の分かりやすい例として、男女賃金格差があります。韓国は、26年連続でOECD不動の1位（男女賃金格差最悪）です。

## ●私以外の「悪」は頭を下げなければならない

韓国人はある事案において、善悪の極端な二分法で物事を考える悪い癖があります。さらに厄介なことに、自分が属している方を「善」、属していない方を「悪」と認識することが多く、これが社会対立の原因にもなっています。これまた、なぜか各メディアの記事から急に消えた単語ですが、数年前まではこういうのを「集団利己主義」としていました。自分の集団だけを考える利己主義的な考えが社会に蔓延している、と。嫌悪も集団利己主義も、ブログや拙著などで何度も取り上げ、韓国メディアの記事も引用したので、読者の中には「たしかに、数年前まではよく出ていた」と思われる方もおられましょう。

とにかく、かわいいのは自分（側）だけで、「私は何も悪くないのに問題が起きている。私以外の誰かが悪い」と決めつけている人が多いわけですが、二つ（二分されたそれぞれの「側」）しかないので、こっちでないとあっち、白くないなら黒いことになってしまうわけです。先ほども書きましたが「悪魔化」が流行り、さらに大きな効果を出すのも、こうした構造ならではのことです。相手側が「悪」なら、私側は「善」に決まっている、そんな〝単純迷怪《めいかい》〟な世界ですから。よって、悪である相手と共存するには、「相手側が常に頭を下げた状態でなければならない」という、善悪論もどきの上下関係が必要になります。特に儒教では、悪は善より「下」の存在でなければならず、悪が善に頭を下げる、徳のない人間が徳のある人間の言葉に従うことが、世界を維持する倫理そのものなのです。

韓国は告訴告発案件で法的に争うことも多く、また、訴訟が最高裁まで行くことで有名です。裁判の結果で「上下」を決めようとするからです。政府から個人まで誣告《ぶこく》（虚偽告訴）や偽証が多いのもそのためですが、法律以外の範囲でも、社会全般にこの意識は広がっています。法律以外の範囲での上下関係を「道徳的優位」と表現する人もいます。たしか１９９３年から大統領だった金泳三《キムヨンサム》氏が、慰安婦問題に関連して「これ以上日本に物質的な要求をせず、被害者は韓国が救済する。そうすることで（まだ日本からもらえるのに、あえてもらわないと宣言することで）道徳的優位を手に入れることができる」と話したことがありますが、そのときから日本関連でもよく出てきます。ただし、それから謝罪・賠償要求が止まったことなど一度もありません。金泳三氏も途中から反日に転向し、「日本の悪ふざけを叩き直してやる」と話したりしました。にもかかわらず、なぜか韓国は道徳的優位という言葉だけをいまでも日本に適用し、「法律（基本条約、請求権協定、日韓慰安婦合意など）だけで解決しようとしてはいけない」というスタンスを取り続けています。前段となる「物質的な要求はしない」は、どこかに行ってしまいました。

この「日本が韓国に頭を下げてこそ共存できる」という考えは、政権の外交路線によって強弱はあるものの、着実に強化されてきました。たとえば日本で開かれたオリンピックで日本人歌手が日本の国歌を斉唱しただけでも、韓国では「あれはいけないことだ」と認識する人が少なくありません。たとえ当然のこと、当然の権利でも、悪だからその権利を主張してはならない、常に頭を下げる必要がある、というのです。日本は「悪い」から、たとえ当然のことでも、国際イベントで国歌など流してはならない、それは「頭を下げる」態度ではない、韓国はそんな日本とは共存できない、というのです。

実際、当時の各メディアの記事を見てみますと、右派から左派、大手からネットメディアまで、「帝国主義の象徴である『君が代』で砲門を開いた東京オリンピック」「平和を望むと言いつつ『君が代』」などと報じ、「国歌ではあるが、そんなことはしてはならない」

という点を強調しました。簡単に言うと、「罪人のくせに開き直るな」というのです。他にも、国家間の条約や合意などを重視する日本の態度に対し、「そんなものよりもっと大事なことがある」としながら、道徳的なこと、すなわちもっと頭を下げることを主張するのも、韓国では珍しくありません。

韓国には「内で漏れるバガジ（酌）、外でも漏れる」という諺《ことわざ》があります。水を汲む道具であるバガジが、水が漏れる状態だと、それを直さないかぎり、外で使ったところで水が漏れるのは当然。家の中でやっていたことが、外でもついそのまま現れてしまうという意味です。外（日本）に対して取ってきたスタンスが、内（国内の異性）に対してもそのまま現れた、とでも言いましょうか。嫌悪に話を戻しますと、国内でも同じく、自分が属している以外の集団に対し、「おまえたちは加害者だからもっと頭を下げるべきなのに、なんで開き直るのか」と糾弾する現象が流行っています。特に異性嫌悪の場合、教育水準が高くなり、社会進出も拡大した韓国の女性たちは、いままでの韓国社会で自分たちがどれだけ虐《しいた》げられてきたのか、それをトラウマとして認識するようになりました。そして、その加害者である男たちは、もっと頭を下げるべきだと思うようになったのです。ですが、男子諸君は、「加害者は女のほうだ」との主張を展開するようになりました。「私たちが軍隊に行っている（兵役中の）間、女性たちが仕事を独り占めしてしまう」「兵役義務もなしに女性という理由だけで特恵が得られる」など、社会への不満を「女のせいだ」ということにしているのです。

## ●韓国人女性が陥った「メンブン」

サッスマン氏は、韓国の女性たちは、肯定的な意味としてのフェミニズム、すなわち性差別をなくそうなどの主張に触れる一方で、同時に家父長制などの文化・社会的要因による差別被害を経験し、その間で混乱してしまったと指摘しています。そして、その混乱の中で、急すぎる〝覚醒〟をして、韓国女性たちが取った道こそが、韓国で流行語のようになっている四つのB（「非」の韓国語読みは「ビ」です）だとします。「非・恋愛」「非・性関係」「非・婚」「非・出産」。すなわち積極的にシングル生活を選択するわけです。「怒り」をも超えた「分断」の正当防衛化が始まったのです。

似たような現象が、男性からも現れています。敵と一緒に人生を歩む気はない、と。ある人にとっては自己防衛かもしれませんが、残念ながらオンラインという匿名空間を起点にし、この流れは嫌悪へと形を変えました。「もはや異性には何も関心がない」という主張も聞こえてくる今日この頃です。「嫌う」の真の意味は、わざわざ嫌う言動を発するのではなく「無関心」だと聞いたことがありますが、そういったところではないでしょうか。

ネットで適当に愚痴っていればまだかわいいものですが、たまに凶悪事件も起きています。「相手が女性だから」という理由だけで男性が刑事事件を起こしたケースは、パッと思いつくだけでも複数ありますが、その中でも2016年の「江南《カンナム》駅トイレ殺害事件」が特に有名です。「女どもに無視された」という理由だけで駅のトイレ（男女共用）に待ち伏せして女性を殺害したと、後に加害者は陳述しています。待ち伏せしていたトイレには被害者の女性より先に6人もの男性が入って利用していましたが、犯人は彼らには何もしませんでした。つまり、犯人の陳述は、その行動からも裏付けられるものでした。この人、お母さんが忙しくてお父さんが産んだのでしょうか。

すでにオンラインコミュニティーなどで女性を嫌悪する男性が多い（逆もまた然りですが）ことを知っていた女性たちは、このような極端な事件が「自分にも起こりうる事件」と強く感じ、恐怖しました。そして、「加害者がここまで開き直ることがこの世にあってもいいのか」と、世界観そのものが崩れる、韓国で言う「メンブン（メンタル崩壊）」状態に陥りました。もちろんこのような殺人事件は恐ろしく、許されないものであり、犯人の性別を超えた、より広い範囲の「社会的問題」として重く認識されるべきです。口では性別がどうとか言っているけど、それはただの「なぜ私が社会でうまくいかないのか」という不満に対する、間違った「犯人探し」の結果かもしれないからです。犯人の成長環境そのものから問題視する必要があるでしょう。しかし、「虐げられてきたのに、なぜこんなことに」と認識する女性たちは、一件の殺人事件が持つ意味よりも、さらに強い恐怖と闇を感じたことでしょう。

## ●韓国の民族情緒「恨（ハン）」

他の国では、男でも女でもない人、または自分がどちらに属するのかアイデンティティ面で悩む人が多く、その人たちの生き方に関する社会的議論が多いと聞きますが、韓国のジェンダー問題は、明らかすぎる「戦争」です。もともと男女に二分されているので、極端な二分論に支配されている社会と相性がよかった（悪い意味でよかった）のでしょうか。男性も女性も、「男（女）が悪い」という単純な話に乗せられやすい社会の中、ある種の被害妄想な側面とともに「悪魔化」が進みました。そして、お互いがお互いを悪魔だと言う、強烈な異性嫌悪を生み出している、これが現状です。

ちなみに、サッスマン氏の寄稿文にも江南駅トイレ殺人事件に関する内容は出てきますが、被害妄想などの話はありません。私は韓国社会の価値観の根源とも言える「恨（ハン）」の情緒を、被害妄想の発現だと思っているので、このような表現を用いました。ハンとは「永遠に消えない恨み」のことで、「私の正当な権利を、不当な手段を使った誰かに奪われた」というのが、その恨みの原因です。韓国の心理学者たちが使う用語としての「相対的剥奪感」に基づくもので、加害者が誰なのかは不特定なのが特徴です。特定の個人に対して使う場合もありますが、韓国でもっとも有名な民謡『アリラン』の「私を捨てて行ってしまった『ニム（韓国語で『様』の意味を持つ敬称で、普通は名前や職位の後に付ける）』、足の病気になってしまえ」という歌詞からも分かるように、「私を捨てたのは誰なのか？」については不確かです。「誰かに捨てられたから恨んでいる」というシチュエーションだけが描かれています。この恨（ハン）は、「韓（ハン）」と読みが同じということもあって、韓国では民族情緒とされています。そんな禍々《まがまが》しいもののどこが民族情緒だと驚かれる方もいるかもしれませんが、韓国では普通にそう言っています。ハンというものを悪いものだと思っていないからです。

私は、率直に言って「男性が損をしている」というのはちょっと説得力がないと思っています。現状として男女双方が被害妄想的な展開になっているのは事実であり、嫌悪の領域でどちらかに肩入れするのは気が引けますが、あくまで「過去の経緯」からの見方に限ると、女性のほうが多くの被害を受けてきました。特に、儒教社会の韓国では。

合計出生率つながりで一つ書いてみますと、１９８０年代末から１９９０年代初頭、胎児の性鑑別ができる機械が普及したことで、鑑別して女だと分かるとそのまま堕胎してしまう風潮が社会的に広がりました。２０２１年基準で30代の男性未婚者は１７３万人、女性未婚者は１０７万人です。通常、出生時は男児が女児より若干多い（女児１００人あたり男児１０３人～１０７人）のが一般的な比率とされていますが、韓国の１９９０年の男女比は、女児１００人あたり男児１１６・５人にまで上がりました。彼らが２０２０年代に30代になっているのが、韓国の低出生率の一つの原因ではないのか、そんな指摘もあります。まだ生まれていない女児に対する社会的虐殺だったのではないか、私はそう見ています。

実績や能力に関係なく「女性を◯%採用する」という政策を進め、その分、男の就職を難しくしているなら、それは明らかに男性が被害を受けていると言えます。新しく枠を創設し、その分だけ女性を増やすならまだ分かりますが。でも、そういうもの以外、たとえば兵役とか、それで男性が受ける被害というのはそこまで大きくない気がします。2001年までは軍加算点制度といって、ちゃんと兵役を済ませた人には、一部公務員試験などで総点の5％内で加算点を与える制度がありました。当然ですが兵役免除者や女性には適用されません（女性でも志願入隊した場合は可能です）。いまでも「この制度によって被害を受けた」と主張する人がいますが、違憲判決によって22年前に廃止されたものですし、微妙です。繰り返しになりますが、経緯的に、そして一般論的に韓国では男性より女性たちが大変だったと認められています。でも、だからといって現状の異性嫌悪で女性の味方をするつもりはありません。ただ、私も親世代を見て育った一人として、書きたいように書きました。

## ●政治が男女の対立を利用する

個人的にサッスマン氏のこの見解は、たしかに現在の韓国社会において、もっと重視されるべき観点、ネットでたまに見る表現だと「もっと評価されるべし」ものだと思っています。初めて寄稿文の内容が紹介されたときには、複数のメディアが記事を出したり、ネットでも「男女嫌悪が合計出生率低下の大きな理由」とする趣旨の議論が起こったりしましたが、残念ながらそれ以降、似たような主張は聞こえなくなりました。

本書は何かを引用するとき、ネット公開された部分だけにとどめています。よって長く引用したりはしませんが、公開されたネットには韓国のネットコミュニティー上での男女嫌悪の現状が、かなりリアルに描かれています。韓国人男性たちが韓国人女性を「キムチ女」などと呼びながら、女は虚栄心が強く、狡猾で、物質主義的なものと決めつけ、それ以外の主張は一切受け入れない、それ以外の主張をすると「フェミニストだ」とし、その主張を攻撃する風潮はすでに珍しいものでもありません。逆に、女性たちもまた、それをそのまま男性に向けて「反射」する、いわば「カガミ反射」のような表現で、そのまま仕返ししています。サッスマン氏はこれを「ミラー反射テクニックを身につけてしまった」としています。

このようにお互いが嫌悪し合っている状況で、男女が結婚すること対して、どうしても消極的、または否定的な態度を取るようになるのは、ある意味、自然な帰結でもあります。

実際、韓国では合計出生率だけでなく結婚の数、および結婚を希望する人の数も急減しており、結婚に関して行ったアンケート調査結果などを記事にするメディアも少なくありません。その結果において、すべてではないにせよ、「結婚相手がフェミニズム的な思考方式を持っているのかどうか」を重視するという人が増えつつあります。

さらに、寄稿文の中でも個人的に「本当にそう」と思ったのが、異性嫌悪と政治の関連性、いわば「癒着」です。これが男女嫌悪の改善を難しくしている理由の一つでもあります。政治家たちがこの男女嫌悪を利用しているので、むしろ改善されたら困る人たちが出てくるわけです。寄稿文で示している事例は、2022年の大統領選挙での「女性家族部解体問題」です。この「女性家族部」は、ずいぶん前から主に男性の間で評判が悪く、敵視されています。本書では後ほど、「韓国の保守陣営が反日を批判するようになったという見方があるが、それは実は反日を批判しているのではなく、政権を支持するかどうかの踏み絵にすぎない」という内容を綴っておりますが、それと似たようなものとして、「女性なら文在寅《ムンジェイン》政権支持」というものがあります。反日関連に比べるとそこまで範囲は広くなく、こちらもまだオンライン空間がメインの話ではありますが、文在寅政権は女性支持・男性嫌悪政権で、その旗手は女性家族部であるという決まり事があります。そして、これと違う主張をすると「フェミニストだ」として攻撃対象になったりします。

## ●大統領選挙を左右した「女性家族部」

文政権が女性、特に20代・30代の女性から強い支持を得ていたのは事実です。２０１７年の大統領選挙のデータを見ても、文在寅大統領（当時候補）は、若い女性の積極的な支持を受けました。あの選挙は朴槿恵《パククネ》大統領の弾劾により、保守陣営がほぼ崩壊した状態で行われたものであったため、「女性のおかげで当選できた」とはちょっと言えませんが、文大統領が退任時に40％の支持率を維持できたのは、この女性からの支持が大きな要因だと言われています。

普通、韓国では退任時の大統領支持率は20％くらいしか出ません。文大統領が退任時まで高い支持率を記録したことは、政権交代後、尹錫悦《ユンソンニョル》大統領が行った文大統領関連捜査にも少なくない影響を及ぼしました。韓国では、前任大統領が逮捕される（政権交代された場合に限って）のはよくあることですが、まだ支持を集めている人なら、そこまで直接的には手を出しづらくなります。

韓国の左派政治家は、弱者こそ正義で、強者は悪だという偏った見方が強く、文大統領は特にそうでした。その方向性が、自分たちを被害者だと思う女性たちと相性がよかったのでしょう。逆に20代・30代の男性の間では、文在寅はフェミニストだとする主張が広がりました。本当にそうなのかについてはともかく、韓国のネットでフェミニストだとされやすい政策ならいくつかありました。ハイレベル公務員に女性を増やすとか、そうした政策もフェミニスト認定されています。

しかし、そうした政策は世界各国で見られますし、個人的には「微妙では」としか思っていません。リアルドール（性行為も可能につくられた人と同じ大きさのドール）を輸入できなくしたとか、男性に有利な内容を主に発信していたインターネット放送が規制を受けたとか、そういう話もありますが、私はどちらも「どうかな」です。ただ、先ほども書いた通り、文政権及び当時の与党（２０２３年時点で最大野党である「共に民主党」）が「女性の味方」を演じていたのは事実で、「男性パッシング論」がネットコミュニティーで広がったのも事実です。また、女性家族部傘下の性平等教育機関が、「男性は潜在的加害者であり、その解明は市民としての義務である」と発言する動画がネット公開されるなど、女性家族部自らバカをやったのも、この騒ぎを大きくしています。

２０１８年、韓国のヘファ駅というところで妙なデモが行われました。女性たちが「女性差別をやめろ」とデモをしたわけですが、その内容がちょっと妙です。「男が性犯罪の犯人なら、捜査がそこまで早く進まないのに、女性が性犯罪の犯人の場合は、捜査の進展が早すぎる。これは性差別だ」という内容でした。

ある大学の美術授業で、男性ヌードモデルの顔と性器を盗撮し、それをオンラインコミュニティーにばらまく事件が起きました。犯人は同じくモデル業の20代女性でした。一部オンラインコミュニティーには、その男性および家族をバカにするコメントが殺到、「ヌードモデルは精神病者だ」とするなど誹謗中傷が巻き起こり、この件は性犯罪として捜査されることになりました。こうして男女嫌悪の象徴的な案件に発展しましたが、このヘファ駅デモに文政権の政府関係者、特に女性家族部長官が訪問したことが、「文政権と女性家族部は男の敵だ」という認識を確実なものにしました。

ちなみに先ほどの盗撮事件、犯人は有罪判決となりました。被害者やその家族への二次被害がひどかったこと、犯人が証拠を隠滅したことなどが理由です。

当時、一部の女性コミュニティーでは、韓国社会で定説になっている「有銭無罪、無銭有罪（お金がある人は処罰されない）」にちなんで、「有○無罪、無○有罪」というフレーズを使う人たちも目立ちました。○は男性器のことですが、さすがにここでは○にします。別に男性加害者たちが処罰されなかったわけではありませんが、いったん炎上してしまうと、視野が極端に狭くなったりするのでしょうか。

高まるばかりの青年失業率、兵役服務などなどもあって、「世の中が悪くなったのは女のせいだ」とし、それ以外は許さない男子諸君は「文政権は女性支持層たちを『コンクリート（何があっても変わらない支持層）』にして、政権の基盤を固めるつもりだ」とするオンライン上の固定観念にどんどんハマっていきました。

そして、ここはサッスマン氏の寄稿文にも出てきますが、2022年の大統領選挙で、尹錫悦候補が「女性家族部解体」を宣言します。サッスマン氏は「男性たちの怒りの波の中、尹大統領が選出された。彼は男性を潜在的性犯罪者として扱う女性家族部を廃止すると公約したのだ」としています。これまた「これだけ」が当選の理由だとは思えませんが、当時、「共に民主党」の李在明《イジェミョン》候補がかなりの接戦を演じたため、尹候補がわずか0・73%の僅差で勝利したことを考えると、これは無視できないことです。ただ、尹大統領はそれから女性家族部をまだ解体していません。国連からそこまでする理由があるのかと言われたことがありますが、女性団体などを気にして「解体するわけではありません」と手のひらを返しました。

いまも女性家族部廃止の運動は与党国会議員たちを中心に行われていますが、いまだに存続し続けています。選挙で尹候補を支持した男性たちは、裏切られたと思ったことでしょう。尹大統領の支持率は、本稿を書いている2023年10月～11月の時点で30％～35％を記録していますが、いつも20代支持率（肯定評価率）が他の年代より5％ポイントほど低く、不支持率（否定評価）は5％ポイントほど高く出ています。詳しく言い切ることはできませんが、この女性家族部騒ぎも一因ではないでしょうか。

ちなみに、「女にも兵役義務を」というのは韓国社会の男性たちの間ではまさに宿願（?）で、こちらは様々な裁判にまで発展しました。こちらもまた、本書を書いている2023年10月2日、「女性に兵役義務がないのは憲法違反ではないのか」とする訴願について、憲法裁判所が「合憲」と判断し、一部オンラインコミュニティーの男子諸君がお通夜ムードになったりしました。

女性の「左派支持」は、いまでも続いています。前回の大統領選挙で接戦の末に敗れた、野党「共に民主党」の李在明代表の場合、特に若い女性たちの人気が強く、彼の支持者たちを「犬の娘（ゲッタル）」と呼んだりします。もともとはネットで使われ始めた用語ですが、各マスコミが何の躊躇《ためら》いもなく用いています。また、李代表はもちろん政治家たちも、「そんな呼び方はやめなさい」と指摘しません。男女嫌悪の問題を認識しながらも、解決する意思、問題をちゃんと把握しようとする意識はまだまだ低い、または楽しんでいるとも言えるでしょう。韓国では「犬の子（ケセッキ）」など、相手本人ではなく、その人の「親」を動物に喩《たと》えるヨク（辱、攻撃的な言葉）が多いので、こんな表現はやめてほしいところです。こういうのが許されるのはゲームまで……なのかどうかはともかく。

## ●民族へのこだわりが生む、歪んだ優越感

このように「怒りが分断になる」代表例として、合計出生率を取り上げてみました。いかがだったでしょうか。個人的に、「怒り」は、人生に必要なものだと思っています。人生においてなにかを推進する力になることだってあります。また、怒りが必ずしも他人に向けられるとも限らないし、自分自身への反省、再挑戦を促す意味でも怒りは必要です。怒りといってもいろいろあるし、それ自体は「悪」ではありません。しかし、怒りに限られる話でもありませんが、「ちゃんと肯定的な流れに制御できるか」が肝要でしょう。怒

りが分断になってしまうと、それは取り返しがつかなくなります。その分断のためによく使われるのが、悪魔化、いわば善悪論です。合計出生率だけでなく、社会問題全般において、韓国社会はこの「怒りから分断への移行」が他国より速い、それが私の見解です。

日本と比べると、明らかにそうです。「住む」は「知る」ためのもっとも確実な道だと、私は信じています。旅をしながら知ることももちろんあるでしょうけれど、旅だけでその地域を深く知ることは、事実上、不可能でしょう。私が日本に住むことを決め、帰化して日本人になったのも、日本をもっと知るためです。日本と韓国以外は住んだ経験がないので、比較する自信がありませんが、欧米で分断が進んでいる国の場合、韓国でよく使われる表現を借りるなら「別の民族」ということが影を落としている気がします。たとえば、先日のフランスでの暴動の場合も、異民族差別が大きな影響を及ぼしています。警察の行動が本当に異民族への差別だったかどうかはともかく、そう思い込んでいる人が多いから、その分、敏感になっている。「沸点が低い」状態になっているわけです。

しかし、韓国の場合は、そうではありません。本当にどうなのかはともかく、単一民族という点を大きな自慢事としており、国際法的に無理のある亡命政府を根拠に「併合時代は違法」としているのも、「単一民族による統治」にこだわる心理の現れでもあります。

これは本当に韓国に一か月だけでも滞在すればすぐに分かりますが、いろいろなところから民族、民族、民族と、「民族」という言葉が本当に強調されています。映画にもドラマにも本にも、街中の文字情報にも、本当に民族という言葉が溢れています。

その基本パターンは、「私たちは優秀な民族」というものです。海外で養子縁組した人に対しても、外国で国籍を手にした人に対しても、この見方は変わりません。「いや、でも、あんたは韓民族でしょう?」と。

かつて韓国の経済成長を導いた軍事政権も、「国民」と「民族」を結びつけていました。１９７０～１９８０年代に学校に通った韓国人なら、「ウリ（私たち）は民族中興（再び振興する）の歴史的使命をもってこの地に生まれた～」で始まる、国民教育憲章を暗記しなければいけませんでした。これは１９９３年まで続きました。

この傾向は、左派政権ではさらに強くなりました。左派政権は教育界と親しい関係にあるため、金大中《キムデジュン》・盧武鉉《ノムヒョン》政権からなる初代左派政権のときに出来上がった教育界での影響は、政権が変わってもそのまま続いてきました。政権交替後も、各自治体の教育監（教育行政の責任者）は、左派系の人が多く布陣しています。左派政権は、基本的に民族中心の見方をします。なぜ左派政権と教育界が親しいのかと言いますと、軍事政権のとき、民主化運動に教育界とマスコミなどが強く関わっていたからです。皮肉なことに、政府から敵視される彼らに、親北傾向の思想が浸透しました。結果、一部の市民団体などにおいて、いつのまにか「民主化」は反共政策を弱体化させるための名分にもなってしまいました。「育った環境」こそが最大の教育のはずなのに、このように民族を強調する社会で育った人たちが、なぜこうも分断好きなのか。憤怒が分断になる過程においてもっとも便利なのが善悪論です。高麗《コリョ》時代の儒学者、鄭夢周《チョンモンジュ》の母親が作ったとされる『白鷺歌《ペクロガ》』というものがあります。意訳すると「カラスが喧嘩するところに、白鷺《しらさぎ》は行くべきではありません。怒ったカラスたちは、白鷺の白さに嫉妬し、怒りを向けてくるでしょう。せっかくきれいな川で洗ったその白さが汚れないか心配です」というものです。これは、いわゆる「悪い友だちとは遊ばないで」といった歌ですが、なんというかさすがは朝鮮半島の儒学者の女性というか、他者を見下すスタンスが半端ありません。いまになって、この歌を韓国社会全般が身をもって実行している気もします。

善が悪の近くに行くと、悪が嫉妬して怒るだろう。私も悪に染まったらどうする。分断するしかない。関わりたくない、と。ちなみに、朝鮮半島では昔から女性は名前は分からない（または、ない）のが一般的で、この女性も名前は分かりません。反日の象徴とされる明成《ミョンソン》皇后も、名前は分かっていません。小説など創作物の作家が仮で付けた名前があるだけです。

「自民族」の優越アピールの影響が、社会構成員たちに「自『集団』」の優越を求めるようになり、結果的には「自分だけの優越」という夢に追い込む結果になってしまったのではないか……結果論ですが、そういう見方もできるので、嘆かわしいと同時にどこか切ない気もします。分断状態が続くと、最終的に残るものは「絶望」だけです。なにか致命的な間違いがあったと否定できなくなったときには、すでに回復不可能な状態に陥っていて、どうすることもできない。それでも、ちゃんと自分で責任を取ろうとするかどうかは分かりませんが（責任を取らないことで、自分だけは悪くないと思い続けられます）。

## ●ビジネス化する「赤ちゃん輸出」

さて、この頭が痛くなる話は、ここから次の頭の痛い話に移ることになります。韓国社会、特に若い人たちの間での「憤怒から分断」への悪化、そしてその悪化の核心キーワードとなる嫌悪、すなわち「悪魔化」。その主な原因の一つに、韓国特有の「物質主義」が存在するという話です。

でも、ちょっとその前に記しておきたいことがあります。これは本書で扱うべき問題なのかと悩みましたが、出生率つながりで報道しているメディアも複数あり、私が個人的に気にしている案件でもあるので、あまり長くならないように記すことに致しました。いわゆる「赤ちゃん輸出」、韓国の「海外への養子縁組」のことです。

海外への養子縁組を一括りにして良からぬものだと主張するつもりはありません。養子縁組の後にその子がどうなったのか分からなくなってしまうという問題（国としての責任）もありますが、様々な問題が世界各地で起こり、今も起きているだけに、事情によっては大勢の新生児・児童たちの命を救った制度だとも言えます。しかし、自民族・自国へのプライドが高い韓国にとって、これは大きなトラウマになっています。

朝鮮戦争の後、韓国が海外に養子縁組という形で送った新生児や児童の数は推定20万人。推定値なので具体的な比較はできませんが、関連記事や書籍などを読んでみると、「海外への養子縁組が世界でもっとも多いのは韓国」「国際養子縁組した人の約半分は韓国生まれ」とされています。初代大統領李承晩《イスンマン》と韓国社会は、「混血児」というものに漠然とした恐れを抱いていました。

仁川《インチョン》広域市を中心に活動するジャーナリスト、ハン・マンソン氏は、『オーマイニュース』に投稿した記事（2015年11月8日）で、1955年に政府が出した「混血児募集」の新聞広告などを紹介しながら、「当時の韓国政府と社会は、西洋人の外見をした混血児たちを社会・韓国から隔離させようとしていた」と主張します。その理由は、単一民族の正統性と自尊心を守り、混血児による社会秩序混乱を防ぐため、とも。戦争やその後の時代に生まれた（主に米軍との）混血児たちを移民させること、そして海外養子縁組させることは、「とりあえず韓国から隔離する」ための政策だったわけです。そして、このような海外への養子縁組は、やがてビジネス的なものになります。

1980年代、ソウルオリンピックが準備中だった頃から、『ニューヨーク・タイムズ（NYT）』はこの件を取り上げ、問題提起してきました。2023年9月17日にも、NYTは関連記事を載せ、過去「輸出産業」の性格で行われた韓国の海外養子縁組に対する真相究明の必要性も提起しました。NYTの関連記事は、「韓国の『赤ちゃん輸出』は、最初は根深い外国人嫌悪と混血児に対する偏見から始まった。朝鮮戦争以後、李承晩大統領が在韓米軍と韓国女性の間に生まれた混血児を米国に送り出すようにした」「それから、産業化時期の1960年代末からは、未婚の母親の海外養子縁組が多くなり、1970年代には養子縁組関連機関がお金稼ぎの目的で書類を偽造したり、親には何も知らせないまま子どもを海外へ送る場合が多かった」としています。つまり、「ビジネス化」したのです。いまでも韓国の多くのメディアが「輸出」と呼ぶ所以《ゆえん》でもあります。１９８０年代まで、韓国の関連機関が新生児・児童たちを海外へ養子縁組しながら「不正な金」をもらったという疑惑もありますが、確認できる正規料金だけでも、かなりのものでした。

１９８５年のデータですが、韓国の養子縁組機関は、赤ちゃん１人あたり１４５０ドル、航空便料金・手数料などで３０００～４０００ドルを受け取ることができました。同年、海外へ送られた韓国人赤ちゃんは８８３７人です。当時の韓国からすると、ものすごい「外貨獲得」です。個人的にＮＹＴの記事の中でも特に印象的だったのは、「韓国は海外に養子縁組された大勢の人々の中で、一部、海外で成功した人たちにだけ注目し、強調する」との指摘です。たしかに、その通りとしか言いようがありません。

９月、ＮＹＴがこの記事を載せたことで、複数の韓国メディアが引用記事を載せましたが、その中でもっとも多かったのは、「合計出生率０・78なのに、いまだ『赤ちゃん輸出』世界３位」という皮肉でした。たしかに韓国は、公式データで調べることができる国の中では世界３位になります。毎年、全世界の養子縁組統計を集計する国際非政府機関ＩＳＳ

(International Social Service）のデータによると、２０２０年基準で韓国の海外養子縁組児童数は２６６人。コロンビア（３８７人）、ウクライナ（２７７人）に次いで世界で３番目です（４位インド、５位中国）。一時は一年間で数千人以上の韓国の赤ちゃんが海外養子縁組として海外へ向かいましたが、いまは年間２６６人まで減っています。まず、これは不幸中の幸いでしょう。

しかし、市民団体側の主張ではありますが、国際機関・国際法関係者たちと協力して活動しているジョン・ホンギヒェ氏（ネットメディア『プレシアン』理事長）によると、１９８０年代には７０００～８０００人が海外養子縁組で海外に出て行きましたが、１９８８年のオリンピックをきっかけにＮＹＴなどがこの問題を取り上げると、１９９０年からは年２０００人に急減し、それからどんどん数値が減るようになったとし、氏はこれを「人為的なもの」としています。つまり、数字を操作しているのではないかと。それが疑惑なのか真実なのか、そして真実だとしたらいまだに続いているものなのか、そこが気になるところです。

以下、現在の韓国の「赤ちゃん輸出」関連として、『東亜日報』と『中部毎日』という忠清《チュンチョン》道《ド》地域のローカルメディアの記事、そして、韓国内で問題になっている「赤ちゃん売買」の話を紹介し、次の話に移りたいと思います。現在の話で敏感な内容でもあるので、韓国メディアの記事を部分引用する形にいたします。

〈……昨年、合計出生率が0・78人で世界最低水準を記録しているが、依然として我が国は「世界最大の赤ちゃん海外養子縁組国」のままだ。少子化政策を語る前に、「生まれた子からちゃんと育てること」が必要だと指摘される案件である。……（中略）……このような状況を反映するかのように、17日（現地時間）、米国ニューヨークタイムズ（NYT）は「朝鮮戦争以後の1953年以来、約20万人が海外に送られた」と指摘し、「韓国は世界最大規模の海外養子縁組で、ディアスポラ（故国を離れて他国で生きていくコミュニティー集団）を持っている」と報道した。保健福祉部によると、1958年から2022年まで海外に養子縁組された児童は計16万8427人だ。このうち16万3696人は1958～2010年に海外に養子縁組された。それ以後は、2011年916人、2015年374人、2019年317人などと、減少する傾向だ。保健福祉部関係者は「出生率の低下で児童数が減ったため、海外養子縁組も共に減少している」と話した。NYTが1953年から集計したという点を勘案すれば、韓国政府の集計とほぼ同じ規模だ……政府は、養子縁組児童を保護する「ハーグ国際児童協約」（ハーグ協約）批准を進めている。韓国は2013年に養子縁組児童の安全と権利を保護するための手続き及び要件を規定しているこの条約に署名した。しかし、10年が過ぎても、法的整備が遅れ、条約を批准できないでいる〉（東亜日報2023年9月19日）

この件でもっとも注目すべきは、やはり国内外のメディアがこれを「輸出」と書いている点でしょう。今もなお、ビジネスとして成立している側面があります。先ほどの『東亜日報』の記事をブログで紹介してから、なにか続報がないかと続けて追ってみましたが、残念ながら大手はそれ以上取り上げず、『中部毎日』（2023年10月6日）というローカルメディアに「手数料」に関する話がありました。

最近5年間で、海外養子縁組関連機関が赤ちゃん1人を海外へ養子縁組するたびに、平均で1871万ウォン（約190万円）を受け取ったというのです。新型コロナの影響もあってか、2021年から件数も減って手数料も安くなっていますが、関連法律はまだまだ制定されていない、とも。ちゃんとした検証を経た、本当に必要な縁組ももちろんあるでしょうし、手数料も必要でしょう。でも、どういう基準でどうやって決まるのか。記事を読んでみると、完全にビジネス感覚です。手数料の上限を保健福祉部長官が決めるようになっていますが、まだ実際に上限を決めた長官はいません。海外への養子縁組の「その後」についても、管理されていないのが実情だ、とも。

〈……最近5年間、養子縁組機関が海外に児童を養子として送りながら受けた手数料が、1人当たり平均1871万ウォンに達することが明らかになった。特に、『取引』対象にならないように保健福祉部長官が養子縁組手数料上限を定めるように規定しているが、今まで福祉部長官の誰もがこれを定めたことはないことも明らかになった。6日、国会保健福祉委員会所属「国民の力」チェ・ヨンスク議員が、福祉部と児童権利保障院から受け取った資料によると、最近5年間、国内全体の養子縁組機関が1183人の児童を海外に養子縁組として送って、受け取った手数料が計221億3800万ウォンと集計された。1人当たり平均1871万ウォンだ……海外養子縁組後の事後管理が行われていない問題も、着実に指摘されてきた。しかし、海外養子縁組を管轄する福祉部と児童権利保障院は、新しい法が施行される2025年7月19日まで現行養子縁組手続きをそのまま維持しつつ、必要な場合にのみ制度改善を推進すると述べた〉（『中部毎日』）

現行の韓国の法律「養子縁組特例法施行令」によると、養子縁組機関が両親になる人から受けることができる関連手数料は、その法定上限金額を保健福祉部長官（大臣）が定めるようになっています。記事や関連資料に詳しく書いてあるわけではありませんが、私が個人的にいろいろ読んでみた感想としては、手数料欲しさに各機関が動くことを予防するためのものだと思われます。しかし、いままで保健福祉部長官の中に、この最大金額を定めた人は一人もいません。どこにも明記されていません。ですから、関連機関との癒着を疑う人もいるし、海外養子縁組を「止めるとなにか困ることでもあるのか」と皮肉る人もいます。理由がどうであれ、いまも養子縁組機関が手数料を勝手に定めており、それが適切なものなのかどうかについて、誰も調べようとしていません。

その影響もあるのでしょう。2022年～2023年にかけて、韓国では違法な新生児売買問題が大きな話題になっています。以下、一部の単語をマイルドに調整していますが、読むだけで怖い内容ですので、苦手な方はご注意ください。特に2023年の春～夏あたりから、いわゆる「新生児売買」の問題が、各メディアで報道されるようになりました。基本パターンは違法貸金業者と同じで、メッセージアプリなどの匿名チャット・掲示板などを利用し、相応の書き込みを残すとブローカーが接近してきます。一部メディアが、わざと同様の書き込みを残したところ、3時間で6人のブローカーから売買提案が来た、とのことでして（2023年8月24日『CBS』ノーカットニュース）。

ニュース検索してみると、同じ案件で重複するものを外しても、2か月に1件はこの「新生児売買」関連のニュースがヒットします。特に8月には、「98万ウォンで買って300万ウォンで売った」というブローカー女性の証言が話題になったりしました。政府が2015年〜2022年の臨時新生児番号（医療機関で生まれた子に限りますが、出生の際に臨時的に与えられる番号のこと）を頼りに調べてみたところ、出生届なしに「消えた」子供が2236人もいました。その子たちがどこにいるのかは分かりませんが、出生届けなしだと、たとえば健康保険などの恵沢を受けることができなくなります。ちゃんと幸せに育っている子もいると信じたいところですが、専門家たちはその可能性は高くないと指摘しています。本当に育てるために「買われた（この単語が出てくる時点ですでにダメですが）」のかどうかが分からないし、手続きそのものが違法だから関連者たちは「痕跡を残さない」のが基本で、確認する方法も事実上ない、と。

韓国「家庭の愛」会のファン・ウンスク会長は、「このような形だと、子供がどの家庭で育つのか、何も分からない。養育する意思があるというより、物売りとして働かせるなどの可能性もある」と話しています。ここでいう物売りというのは、韓国で言う「エンボリ（物乞い・物売り）」のことです。大人が何かを売るより、子供が売る方が人の同情心を動かすことができます。だから、子供たちをさらったりして物売りをさせることが、1980年代まで社会問題として日常的に行われていました。韓国では、つい十数年前までも地下鉄やバスターミナルなどで子供や身体障がい者が何かのものを売る風景が見られましたが、それも多くはエンボリで、誰か「組織の人」に金を捧げるためにやっている、やらされているだけです。

このようなケースが合法的な養子縁組の約二倍以上はあるのではないか（2012年7月18日『時事ジャーナル』）とも言われているから、困ったものです。大統領は先進7か国の仲間入りも目前ということで「もう韓国は心理的にG8になった」と話していますが、完全に別世界のようです。新生児売買の実態はいまだに把握されておらず、裁判にかけられたブローカーは執行猶予ばかりです。以下、一応複数の記事を集めてみましたが、先の「偽の書き込み」でブローカーと直接コンタクトした8月24日のノーカットニュースの記事を部分引用し、そろそろ終わりにしたいと思います。

〈……このような類の取引は、私たちの日常からそれほど遠くないところにあった。新生児の買い手に会うのは難しいことではなかった。取材陣が「カカオトーク（※メッセージアプリ）」オープンチャットルームを開設して、販売側のふりをして相応の題をつけたのが、23日の昼だった。それから3時間で、6人から連絡が来た。まるでモニター画面の向こうから見ていたかのように。「赤ちゃんは生後何か月ですか?」と、ブローカーAはいきなり尋ねてきた。昨日出産したと答えると、基礎的な身上把握が続いた。彼は出生申告の有無、血液型、生みの親の年齢や職業、居住地などを一つずつ確認した。

こうしてAと短答型メッセージをわずか50通程度やりとりしたが、そのまま口頭合意がなされた。150万ウォンだった。Aは、自分が子供を直接育てるのではなく、中小企業社長である「姉さん」に送る予定だという。それとともに「専門ブローカー」に売るのは危険だというアドバイスも忘れなかった。「臓器だけ取り出して売ることだってありますからね」と言った……ブローカーBからも、取材陣が書き込んだ後、すぐに返事が来た。金額を聞いたら、Bは「どのくらい必要か。明日にでも連れて行きたいけど可能だろうか」と聞いてきた。また、「私は幼稚園教師だ。夫の職業もしっかりしている。私の周辺の『おばさん』たちも、みんな可愛がってくれるだろう。ちゃんと育てることができる」と、こちらを安心させようとした。やがてクール（？）な口頭合意がなされた。300万ウォン。ただBは、子の状態がどうなのか、親はどんな事情があるのかなどはまったく問わなかった（※ちゃんと育てる気があるなら、ある程度は聞いておくはずなのに、一切聞かなかったという意味）。……このような『市場』は、オンラインに広がっている。ソーシャルメディアや地域コミュニティー、お母さんたちが集まるママ・カフェ、さらには中古物品を取引するサイトでも、取引が行われている〉（『CBS』ノーカットニュース）

# 第四章　崩壊する価値観

## ●若者に広がる「物質至上主義」

こうしてここまで憤怒と分断の話をしてきました。一部とは言え、日本と重なる部分を見出した読者の方もおられるかもしれません。それが「日本も（そうだ）」なのか、それとも「日本は（それほどではない）」なのか。本書の最初の部分にも書きましたが、絶望が分断なら、希望は何なのか。そんな話は最終章でまとめるとしますが、ダークな本書、止まらずに次のステージへまいります。悪魔化という手段で、韓国社会の怒りは分断の領域まで明らかに踏み入れています。これが決してその社会構成員全員を、いわばすべてを一括りにする論拠にはならないでしょうけれど、私は「社会」という言葉を使っても問題ないほど、十分に広がっているのではないか、そう見ています。

悪魔化というのは、憤怒がコントロールできなくなったとき、いわば極限に余裕がない状態のときほどハマりやすくなります。では、いったい韓国社会、特に青年層を中心にここまで憤怒が広がっている理由は何でしょうか。一つの理由だけで説明できるほど簡単ではないでしょうけれど、私は唐突だということを認めた上で、「物質主義的な価値観」にその理由があるのではないか、と見ています。お金しか見ていない人たちが「お金様」にたどり着けず、それを誰かのせいにするために悪魔化が流行っているのではないかと。これは、キリスト教でいう「悪魔のせい」にも似ています。

キリスト教徒の中には、神様の教えをちゃんと守ることが出来ない自分自身の問題を、悪魔のせいだとする人たちがいます。だから、自分自身はいくらでも許してもらえる、悪いのは悪魔だから、と。これは間違った解釈ですが、韓国で私が会ったキリスト教徒の中には、こんな人が意外と大勢いました。悪魔のせいだからまた許してもらえると思っている時点で、すでにキリスト教徒失格です。

ちゃんとした信仰では、イエス・キリストに許されたから「自分も誰かを許すこと」を誓うものであり、悪魔の誘惑に負けないように、祈る気持ちを忘れずに生きる道を考えるべきでしょう。この悪魔のせいにする〝間違い信仰〟の甘えん坊さんたちは、憤怒を分断にするプロセスに似ています。ちょうど「悪魔」つながりでもありますが、「神様」と「お金様」をつなげると、ダークさが上がる気もします。この場合、悪魔は別に誰でもいいでしょう。「自分以外」なら。

合計出生率関連のニュースをチェックしていると、儒教社会の韓国において、いや韓国だけでなく世界中でそうですが、伝統的な価値観からしてもっともありえない「家族の崩壊」に関する指摘も増えていることが分かりました。ただ、先ほどの男女嫌悪もそうですが、まだまだ主流の意見とは言えません。ですが、男女嫌悪と同じく、個人的には「いままで私が見てきた多くの案件と一致している」としか思えない、そんな内容です。

本書の原稿としては最新の情報源となりますが、原稿をサボって栃木県に紅葉を見に行ってきた後の２０２３年10月29日、『ＹＴＮ』など一部のメディアが、韓国の２０２３年合計出生率予想を取り上げました。まだまだ予想値で非公式ではありますが「０・72」が予想される、と。５０００万人という人口で、歴史的に移民問題など、いわゆる民族・人種問題もなかった国で、本当にありえない数字が出ています。

２０２１年から２０２２年まで、０・81から０・78になりましたが、これでも「思ったよりは減少幅が少ない」という声がありました。しかし、０・78から０・72なら、これは予想より大幅な減少になります。ソース記事ＹＴＮはこの点、「家が高すぎるとか、経済的な側面、政府支援、そんなものを中心に考察してきたが、では、経済的に豊かな人は子を２～３人も産むのかというと、そうではない。家族そのものに対する認識が構造的に変化してしまったのではないか」と指摘しています。

いまの出生率低下は、家族そのものに対する、すなわち子を産んで家庭を築くことそのものに対する「需要」がなくなったからではないのか、というのです。すなわち家族そのものを「必要ない」とする人たちが多いと。今の青年たちは成長期のときにあまりにも激しい競争を経験したため、家族というものの必要性、記事原文ママにすると「家族というものの効能、情緒的親密さ、効用性」そのものを感じないでいるのがその原因だ、とも。家族のことを「効用性」(原文ママ)と書くことにものすごい違和感がありますが、それはともかくとして、ソース記事はこの現象を、政府支援が金銭対策中心で行われるかぎり、「お金の問題ではない」ので解決できないとします。

しかし、私は家族を必要としない人が増えたという話には同意しますが、「お金の問題ではない」という点には同意しません。むしろ逆の見方をしています。お金を優先するからこそ、お金の側面からして損でしかない家族など必要ないと思っているのではないか。すなわち、物質主義的な価値観が強くなりすぎた、というのが私の見方です。この物質主義による「家族の必要性」に関する話は、私がブログを書くようになった十数年前から、何度も何度も出てきました。基本的には、物質主義的な考えが強すぎて、家族は二の次だと考えてしまう、というものです。

ブログや拙著によく引用するピュー・リサーチ・センターの「人生に意味を与えてくれ

るものは何か」というレポートは、経済的に発展したとされる17か国（日本、米国、フランス、オーストラリア、台湾、シンガポール、ドイツ、カナダ、ギリシャ、イギリス、ニュージーランド、イタリア、スペイン、スウェーデン、ベルギー、オランダ、韓国）で「人生に意味を与えてくれるものは何なのか」についての共同調査を行ったものですが、世界的に見ると圧倒的に「家族と子供」が選ばれました。家族と過ごす充足感はもちろん、もっと良い社会を子供に与えたい熱望も含まれます。17か国のうち、14か国でこの項目が1位でした。例外の三つの国は、スペインが「健康」、台湾が「社会（※政治的自由なども「社会」カテゴリーにしてのこと）」、そして韓国が「物質的な豊かさ」を選びました。（2021年11月18日に公開されたバージョン）

他の国とて、「物質的豊かさ」を選んだ人が少なかったわけではありません。どの国でも、基本的に5位内には入っていました。実際、お金が「幸せ」に必要なのかは微妙ですが、「暮らし」に必要なのは言うまでもないし、お金があればいくらでも肯定的な楽しみを手に入れることができます。しかし、「物質的豊かさ」が「1位」の国家は韓国だけでした。同時に、「職業的成就（職業による成就感や誇りなど）」を選んだ回答者は6％だけ（他の国は15％〜20％）。しかも、複数回答が可能なのに、なぜか韓国では「物質的な豊かさ」〝だけ〟を選ぶ人が多かったのもまた、話題になりました。一つしか選べないと勘違いした可能性もありますが、「これがあれば、他は必要ない」という意識の現れではないだろうか、と私は見ています。余談ですが、日本もまた、「家族と子供」〝だけ〟を選ぶ人が多く、日本と韓国はレポートでも「特異な現象」として紹介されています。

## ●社会不安が拝金主義を正当化する

「儒教思想の国でなぜこうなのか？」とよく言われるこの問題ですが、実はその「朝鮮半島の儒教的な考え方」が原因ではないのか、という主張もあります。韓国では珍しく「死について考える研究」を進めているチェ・ジュンシキ梨花《イファ》女子大学校名誉教授は、仏教放送『ＢＢＳ』のインタビュー（２０２３年10月24日）で、「韓国人の思考を支配しているのは儒教とシャーマニズムで、キリスト教と仏教は抜け殻しか残っていない。その朝鮮半島の儒教は基本的に死後世界を否定するため、韓国は死について考えるには不毛の地である」と話しています。教授は日本で仏教、カトリックなどの信仰関係者たちと話したことが良い刺激になって、韓国で死についての研究会を初めて設立しました。

日本でも「反日種族主義」などで知られているソウル大学の李栄薫《イヨンフン》教授も、2012年12月4日の文化日報評論で、韓国は社会の基礎となる家族共同体が崩れていて、政治が責任を負う部分があるにはあるものの、根源的な責任は韓国の社会と文化、そして歴史にあるとしました。価値観関連調査でも韓国人は中国人と共に世界でもっとも物質主義的であり、韓国人にとって社会的成就と幸福は、「地位が高い」ことと「お金がある」ことにかかっている、と。教授は、朝鮮の儒教の特徴である「人間の道徳的レベルと社会的地位は一致する」という考えを取り上げます。儒教的に優れた人は、道徳的なだけでなく、社会的地位も物質的な富も、共に持つというのです。儒教社会の官僚、すなわち文官以外にそんな存在はそうありません。その結果、精神的成就を追求する道徳哲学は育たず、「韓国は昔も今も恐ろしく物質主義の社会だ（記事原文ママ）」と指摘しています。

私はどんな学問や宗教よりも、「幼少時代に自分で見て聞いたこと」のほうが圧倒的に人の生き方に影響すると信じています。儒教思想そのものが若い世代に直接影響を及ぼしたというよりは、幼少時代、儒教思想を自分に都合よく解釈して生きようとする大人たちを見て育ったため、「家族よりお金」という考えを潜在的に持っているのではないでしょうか。どんな宗教でも、その思想の根本、宗教の場合はその宗教の神に失望することは、そうありません。その思想や宗教を信じるとしながらも、まったくそうは思えない言動をする人たちを見て、「人に失望」するのです。人が無宗教になる原因は、神ではなく人であります。この場合も、儒教といっても、結局は「周りの大人たち」ではなかったでしょうか。

他にも、主に海外の人たち、あるいは海外で勉強した人たちの見解ですが、韓国人は不思議なほど死後の世界について考えず、また他人と「比較しすぎる」ので、なにをどうやっても満足や幸せを感じることがないなど、さまざまな見解があります。私見として、それらも基本的には「韓国人の物質主義的な価値観」によるものだと思っています（似たような見解は論文、書籍、記事など多くの資料に見られますが、必ずしも原文に物質主義というキーワードが出てくるわけではありません）。

最新のものをもう一つだけ紹介しますと、ちょっと変わった形ではありますが、いくつかの国の「脱物質主義」を分析した人がいます。『韓国社会よ、どこへ』という本を執筆した、ソウル大学社会学科のジャン・ドクジン教授です（インタビュー内容は２０１７年2月28日付けの『韓国日報』）。こちらは、一般的な物質主義とはちょっとアプローチが異なります。各国の価値観を調査する国際アンケート資料などをもとに、「大きな政府」「強力な武力」「全体主義的な考え」「経済成長」などを望む価値観を「物質主義的な価値観による見方」とし、「小さな政府」「文化発展」「自分自身を表現すること」「人権や民主主義発展」などを望む価値観を「脱物質主義的な見方」として、その割合を調べたものです。通常、経済成長を成し遂げた国の場合、経済成長途上までは前者の見方が強くなりますが、そこからは後者が強くなるのが一般的です。ですが教授によると、１９８０年代からの各種関連資料を分析してみても、なぜか韓国では前者（物質主義的な見方）の割合が有勢なままあまり動かないとのことです。

記事の時点となる２０１７年での最新データ分析結果は、日本、米国、韓国のデータでそれぞれ「物質主義（強い傾向）」な価値観の人の割合が、日24・95%、米20・87%、韓55・06%。「物質主義（弱い傾向）」が日32・10%、米31・91%、韓30・54%。「脱物質主義（弱）」が日33・73%、米28・81%、韓11・72%。「脱物質主義（強）」が日9・22%、米18・41%、韓2・68%でした。

強弱を合わせると、韓国は物質主義85・6%、脱物質主義14・4%となります。特に「強」の割合が、圧倒的です。

教授は、「一般的に、ある程度の経済的成長の後には、心に余裕ができ、単に『食べて生きる』という問題から離れ、別のものを探すようになる」ものですが、韓国の場合はそうではなく、「予想はしていましたが、30年前（の資料）とここまで同じだとは、さすがにびっくりしました（原文ママ）」と話しています。教授はその原因を「社会不安」としています。対立が多く、制度に対する信頼が弱いので、不安が多く、結局はすべてが不安になる、と。「より強くなる」ほうを選ぶ人が多すぎて、それがむしろ（別の方向まで含めての）「もっと成長する」可能性を制限している状況である、としています。

## ●お金のためなら犯罪も厭《いと》わない

時期がちょっとズレますが、実は2013年、小中高生を対象にした調査結果が話題になったこともあります。教授の分析データの対象よりも若い世代たちの認識です。2013年1月7日の『マネートゥデイ』など複数のメディアが報じていますが、「10億ウォンが手に入るなら、1年間監獄に入ってもいいか？」という質問に関する小中高生2000人のアンケートデータです。これについては説明が足りないというか、多くのメディアが「10億」と「1年間」だけ強調していましたが、実はこの設問、「1年間の刑期（相応の間違いを起こして、刑務所に入れられる）」となっています。すなわち、お金が手に入るなら、意図的に間違いを犯していいのか、という内容です。ソース記事はそこを「間違いを犯して」とちゃんと書いています。結果ですが、小学生12％、中学生44％、高校生44％が「犯してもいい」と答えました。他の設問でも、「学年が上がるほど物質万能主義の応答率が高くなる」傾向は同じでした。

また、「他人の物を拾って、それを自分のものにしてもいいのか？」という質問には、小学生36％、中学生51％、高校生62％が「いい」としました。インターネットなどで、映画や音楽などを違法ダウンロードする行為についても、小学生16％、中学生58％、高校生84％が「大丈夫」と答えました。今回の研究責任者であるハンセ大学のアン・ジョンべ教授は、「普通は、教育を受けるほど道徳的価値観が確立され、倫理意識が高くなるものなのに、現実はその逆だ」と指摘しています。

本稿を書きながら、同様の調査がそれからもあったのかと思い調べてみたところ、同じ10億ウォン設問で調べた２０１５年版がありました。２０１５年12月30日の『ＳＢＳ』の報道によると、同じ10億ウォン関連質問に、小学生の17％、中学生の39％、高校生の56％が同意した、とのことです。ちなみに２０１５年調査は２万人以上を対象にした、とも。

２０２３年1月に韓国透明性機構が発表した別の調査結果でも、「もし、不正な方法で大学入学や就職などを斡旋してくる人がいるなら、それを受け入れますか？」という質問に、青少年の54％が「受け入れます」と答えました。この不正入学、または不正就職は、韓国では社会問題とされていて、一部の労働組合は「自分の子」の就職を優先する、事実上の世襲とも言える条項を決めています。経済状況や就職問題もあって、こういうのはいつの時代でも、どの年代からも、かなり非難される内容です。にもかかわらず、青少年たちがここまで「受け入れる（言い換えれば、不正を犯す）」とするとは、驚きです。青少年たちの価値観も、脱物質主義とはなかなか言えない状態でしょう。

## ●親の財力がすべてという「スプーン階級論」

さらに、若い世代にまで浸透した物質主義な考え方は、「大金持ちでない親は無意味」という考えまで生み出しました。幼かったときから、「持っているか、持っていないか」による巨大ないじめを体験しているからです。もう10年以上前からランク付け、いわゆる階級論の話を取り上げてきました。スプーン階級論という言葉が流行る前から、関連した内容を書いていた記憶があります。着ている服の値段で階級が決まるとか、小学校の入学式などで、「マンションに住んでいる子」と「そうでない子」は別の列になっているとか、「学校に皆勤する子は、海外旅行に行く能力がない家（韓国では家族で海外旅行に行くときは学校を休むのが普通です）」という理由で、皆勤乞食（ゲグンゴジ）と言われていじめを受けてしまうとか、関連したニュースだけで、結構な数を読んだ記憶があります。ブログや拙著に何度も書いてきたことですが、スプーン階級論は、社会の貧富格差の問題というよりは「親の貧富格差」をメインにしています。

光州《クァンジュ》科学技術院のキム・ヒサム教授が日米中韓4か国の大学生、各1000人に、「自国で青年の成功にもっとも重要な要因は何か？」を聞いたところ、韓国の大学生の半分は「親の財力」を挙げました。教授は、これは日本、中国、アメリカの大学生からは見られない結果だったとしています（2022年12月4日『毎日経済』、調査は2017年）。その考えで育った人たちの次の世代、いまの子どもたちにも、同じ考えが広がっていることでしょう。

こういうものは広範囲な調査統計もないし、どうやって調べればいいのかも曖昧なので、せめて原稿の説得力のためにもう少し「事例」がほしいと思い、2023年10月、韓国側のネットをもう一度検索してみました。そして、あまり古いのは外して、その中から「住んでいるマンション」関連の話をチョイスしてみました。後から家計債務、マンション関連などの話がいろいろ出てくるので、その心理と通じるものもあるでしょう。２０１６年1月20日、『オーマイニュース』の市民記者が書いた記事と、２０１９年6月15日の『京郷新聞』のものです。特に『京郷新聞』の記事の題、「幼い時から学ばされる、『住んでいる家』の階級」は、題だけでも本件のすべてを物語っている気もします。

まず『オーマイニュース』の記事ですが、記者さんは引っ越しすることになりました。引っ越しする場所の学群（韓国の学区制度）によって、ちょうど息子が入学する小学校も決まるので、引っ越し予定地の周辺の学校を気にすることになりました。すると、引っ越そうとしていたマンションの近くにある小学校には、いろいろと妙な噂があることに気づきました。そのマンションの子供は、同じ学区にある「賃貸マンション」の子供とは一緒に遊ばないという事実上の規則が存在すること。小学1年生から塾を二〜三つ通うのは必須だ、などの噂です。まさかと思って引っ越した記者さんですが、引っ越しの後、実際に他の子の親たちと知り合い、一つずつ、身をもって体験することになります。

韓国では、同じマンションでも一部が賃貸用で運用されることがあります。物件そのものは販売用（日本で言う「分譲」用）と大差ありませんが、賃貸用は階数が低くなっているのが一般的で、政府や自治体の補助のもとに運用されます。政府が不動産浮揚策として、買い取って賃貸マンションとして運用する場合もあります。ただ、どうしても経済レベルが高くない人たちが借りることになるので、「一緒に遊んじゃいけません」ということになっているわけです。また、賃貸と販売の差だけでなく、同じ販売用マンションに住んでいる子同士でも、広さ、または階層の高さで階級が分かれているとも言われます。

さらに、塾というのも想像を絶するもので、たとえば体育の時間でやる「縄跳び」で高いスコアを取るための塾まであって、スポーツジムなどが特別指導を行うとのことでして。記者さんは、「金のスプーンがどうとかの『身分社会』が、まさに小学校の時から始まっているわけだ」とし、これではダメだと思ってもう少し静かなところへまた引っ越したそうです。

『京郷新聞』はもう少し記事としての書き方になっていますが、内容は似たようなものです。「住んでいる家が、その居住者の社会的・経済的地位を表す象徴になっているのは、もう韓国社会では批判の対象にすらしづらい」と。相応の表現が、すでに各種広告などにも公然と登場しているし、それを問題だと指摘することがむしろ変になってしまった、というのです。

記事は、ソウル江北区《カンブク》で社会福祉士として働くP氏（42歳）の話を伝えていますが、P氏によると、同じマンション団地でも、建物の「高さ（高層階かどうか）」だけで子供は格差を感じ、その理由を「低い階数に住んでいると、賃貸で入った住民たちと一緒にされてしまうから」と説明しています。先ほどの『オーマイニュース』もそうですが、P氏がよく訪問する賃貸マンションは普通に販売されたマンションと同じ団地にあるものの、階数は低くなっています。

賃貸マンション入居者の中には、一人親家庭の子供が多いので、P氏はその子たちを不本意に傷つけることがないよう、言葉にかなり気をつけているそうです。しかし、P氏は「最近の子供は、ゲームしながらも『この親なし』というヨク（※辱、低俗で攻撃的な言葉の総称）を普通に使う」と言います。一人親家庭の子が多いから、子供があえて使っているわけです。P氏が知っている賃貸マンションに住むある子は、その子も一人親家庭の子なのに、他の子に「この親なしが」と普通にヨクを使うと言います。なんでそんなことを言うのか、自分が言われると悔しいと思わないのかと聞いてみたところ、その子は「ボクも同じヨクを普通に使うから、別にいい」「でも、『この家なしが』というヨクだけは、言われるとものすごく悔しい」と話しました。

記事は、Ｐ氏などインタビューに応じた人たちの証言を、「基本的に大きくて高いマンションに住む子たちが、相対的に小さくて低い賃貸マンションの子との比較を通じて、自分の優越さを主張する内容ばかりだった」としています。

親なしはいいけど家なしは悔しいというこの現象、これが過熱する「受験」などの影響によるものでしょうか。この家族観の崩壊は、「お金とは関係ない」ことによるものでしょうか。私は、その逆だと見ています。先ほども書きましたが、結局は自分の身の回りの人たちの言動から世界観が出来上がります。お金様を神様のように考えるこの韓国社会を生きた子供が、物質主義を克服することは、決して容易ではないでしょう。このまま、また次の世代に……といったパターンでしょうか。ひょっとすると、一部の人たちには、無意識的に「次の子は産まない（これ以上、悔しい思いは続かないでほしい）」という考え方が出来ているのではないか、そんな気もします。

# 第五章　韓国の闇金＝私金融（サグミュン）

## ●限界を迎えた韓国民の「借金」

極端な話、「神も仏も（いら）ない」、お金様だけの価値を求める人が多い中、その「信仰」が崩れたらどうなるのでしょうか。神様についていけないと分かったとき、悪魔のせいにして自分は悪くないと思う人たちがいるのと同じく、お金様に手が届かないと分かったとき、誰かの悪魔化にこだわることになる。それが狭い範囲での話ならともかく、広い範囲で行われた場合、社会そのものが「悪魔化」を受け入れてしまう。それが分断である、そんな救いのない話です。先ほど朝鮮半島の儒教思想的には、社会的地位や物質的な豊かさが「正しいという存在証明」になっているとの指摘も紹介しましたが、言い換えれば、お金がないというのは、子供の頃から散々聞かされてきた「お前は優秀な民族だ」なる世界観の崩壊にもつながります。範囲を広げすぎるのもどうかとは思いますが、私は「お金」と「優秀な民族」は、韓国人の精神世界において無関係ではないと思っています。

極端さにさらに極端さを加えて、こう書いてみるのはどうでしょうか。お金を稼ぐことによる社会的地位上昇の可能性が低くなれば低くなるほど、誰かのせいにする「悪魔化」に依存する心理はどんどん社会を蝕《むしば》んでいく、と。しかし、ここで大きな問題が起こります。もはや韓国も高い成長率が期待できる国ではなくなりました。おおまかな理由は二つあります。一つは、韓国の経済成長を支える、正しく「柱」であった中国経済の成長が鈍化してきました。また、中国も技術力を身につけ、いままでに比べ、韓国からの輸入を必要としなくなりました。もう一つは、本書としてはこちらがメインですが、１９９７年の経済破綻、いわゆる「ＩＭＦ管理期間」の後、韓国の経済成長を支えてきたもう一本の柱である「借金」が限界を迎えたことです。そう、いままでは「借金も財産だから」としながら誤魔化し、自分自身に嘘をついてきた、いわゆる家計負債（家計債務）問題が、牙を剝《む》くようになりました。

恐れ入りますが、この家計債務については、もっと全般的な内容を拙著『韓国の借金経済』という本で論じております。合計出生率と同じく、世界的に「わけが分からない」とよく言われる案件でもありますので、もしもっと詳しい情報がほしいという方は、そちらをお読みくだされば願います。本書は、全体像を描く側面では『韓国の借金経済』ほど詳しくはありませんが、できるかぎり最新の情報を、本書のテーマに沿って〝まとめる〟書き方を中心に綴っております。

## ●自営業者の6割が「多重債務者」

経済的な不安。この世に、経済的な不安がない国はあるのでしょうか。国単位で考えると、一部の福祉国家、税金たっぷり年金たっぷりの国ならそうしたイメージもあるかと思いますが、完璧な国などどこにもないでしょうし、しかも「人」単位で見るとなおさらでしょう。もし人単位で経済的不安が存在しない理想郷があるなら、人類史にその名を残しているはずですが、いまのところそんな国は聞いたことがありません。そもそも、そんな成功例があるなら、共産主義を掲げた国々がここまで没落することもなかったでしょう。

そう、人それぞれ、貧しい人は貧しい人なりに、豊かな人は豊かな人なりに、経済的な不安を抱いて生きています。その不安が消えることはないでしょう。程度にもよりますが、私はむしろ、経済においては多少ネガティブな不安を抱いていたほうが成功しやすいとも思っています。なんだかんだで、少し不安なほうが仕事を大事に運営できるからです。私の頭の中が保守的なだけかもしれませんが。

ですが、本書で指摘したい経済的不安は、単に経済が苦しいという話ではありません。韓国の家計債務システムの核心であり必須である「自転車操業」の破綻《はたん》が近づいたとする話です。

　あるシチュエーションを考えてみてください。一つの部屋に１００人がいて、全員に借金があります。返済能力がもっとも高い人に背番号1番を、低い人に１００番を付けます。そういう世界が数十年も続き、そういう世界で生まれ育った人たちは、借金である自分のお金を使うことに、なにも躊躇《ためら》わなくなりました。世界はこんなものだろう、こうして生きていれば大丈夫、そう思うようになりました。むしろ、たくさん借りられる人が、大金持ちのような存在となりました。若い人たちも、そういう大人たちに囲まれて成長しました。人々は、Ａという銀行で借りたお金が尽きるとＢという銀行から借り、Ａから借りたお金を返済しました。ＢでダメならＣに行きました。それでなんとかなりました。でも、ある日、各銀行が一部の人たちにお金を貸さなくなりました。銀行も苦しくなったからです。貸しても返してもらえそうにない人には、お金を貸さなくなりました。

　その日の夜、１００番の人が消えました。そして、不定期的に返済能力が低い人から、1人ずつ消えていきました。彼らがどこへ行ったかは分かりません。ただ、部屋のどこにもいません。そうやって66番まで消えました。65番の人はどんな気持ちでしょうか。64番も63番も同じです。どんな気持ちで過ごしているのでしょうか。いま、韓国の経済が、具体的に言うと家計債務問題が、ちょうどそんな感じになっています。いままでは韓国社会の大勢の人たちは、借金が返せなくなる、言い換えれば「自転車操業できなくなる」人のことを、極めて一部の無能な人たちの話だと思っていました。利子を払ってやるというのに貸さないバカがいるか。そんなふうに。

その結果、韓国社会の現状がどうなっているのかと言いますと、まず、韓国の経済活動参加人口は約2800万人です。賃金勤労者が約2160万人です。自営業者の数は2021年基準で約656万人です。韓国は、他の国とは異なり家計債務と自営業者債務をそれぞれ別にカウントしますので、あとで債務関連も「家計」と「自営業者」で別々になります。ちなみに、日本はサラリーマンが多く、韓国は自営業者が多い国とされています。日本も「街に『店』が多い」と言われる国ではありますが、それでも日本の自営業者の数は約200万人ほどです。

韓国の自営業者はものすごいスピードで増えています。2017年には472万6000人でした。それが、2021年には1年間で105万1000人増え、19・1%の増加率を記録しました。同じ期間の賃金勤労者の増加率は2・4%にすぎません。韓国では、政府や自治体が高齢者を相手に「簡単なお仕事をつくって、雇用率を引き上げる」、いわば雇用率を上げるための「仕事バラマキ」政策を行っています。にもかかわらず、自営業者の増加のほうが韓国の雇用統計により大きな影響を及ぼしていると言えます。

彼ら約656万人の自営業者の2021年平均所得は、年間1952万ウォンでした。最近円安で1円が11～12ウォンですが、為替レート関連でなにか大きな変動がない時期には、1円は約10ウォンです。なにより計算しやすいというのもあるし、大まかな数値でもいいという方は、1952万ウォンは196万円だと思ってください。自営業者収益は毎年減少しつつあり、2000万ウォンより下がったのは2021年統計で初めてです。これに対し、自営業者656万人の「自営業者債務」は、約1020兆ウォンに上ります。

韓国の家計債務は約1840兆ウォンですが、こちらは自営業者債務とは別にカウントされています。ただし、一部には「自営業者が自営業者対象ローン以外で借りた分」も含まれているため（ローンの対象による区分であり、実際に借主の職種による区別ではない）、単純に合計して2860兆ウォンとなるわけではありません。約2200兆ウォンになるという分析もあるし、自営業者債務・家計債務の両方に重なっている金額は約300兆ウォン（つまり、二つの合計は約2560兆ウォン）と主張する人もいます。いずれにせよ膨大な額であり、自営業者の10人のうち約6人は、事実上、もはや追加融資を受けるのが難しい「多重債務者」です。

韓国の多重債務者の定義は、日本とは異なり、「3か所以上の金融機関からお金を借りた人」です。この分が、全体の自営業者債務の70・6%、金額で720兆3000億ウォン、1人当たりの平均ローン額は2022年10～12月期基準で4億2000万ウォンとなっています。

## ●世界で唯一、家計債務がGDPを超えた国

統計庁が発表した「2023年上半期（※4月まで）の地域別雇用調査就業者の産業及び職業別特性」によると、賃金勤労者約2160万人の平均賃金（税引き前、成果給含む）は、100万ウォン未満が9・1%、100万ウォン～200万ウォン未満が11・9%、200万ウォン～300万ウォン未満が33・7%、300万ウォン～400万ウォン未満が21・3%、400万ウォン以上が24・0%でした。一部メディアは「税引き前賃金が300万ウォン未満の労働者が54・7%」に注目して記事を載せたりしました。ちなみに就業者がもっとも多い分野は「飲食店」で、163万1000人。これもまた自営業者

が多い（飲食店業者が多い）からではないか、と思われます。一方、４００万ウォン以上の高賃金が多いのは、専門・科学及び技術サービス業、金融及び保険業でした。

また、一部は自営業者も含まれると思われますが、韓国で「家計債務」の対象として集計される人、すなわち家計債務の借主は、２０２３年４～６月期の最新データで１９７８万人で、規模は１８４５兆７０００億ウォンです。ちなみに、第３金融圏（貸金業者のこと）の一部のデータなどは、全体統計に含まれていないとも言われており、そこは調べようがありません。

年収のどれくらいを債務の返済に使っているのかを意味する「ＤＳＲ（Debt service ratio）」で見ると、彼ら１９７８万人の平均ＤＳＲは39・９％です。すなわち、平均で年収の39・９％を債務の返済に使っています。住宅担保ローンを組んでいる人は、なんと平均ＤＳＲが60％です。買う予定の家をそのまま担保にしてローンを受けることが多いので、これは「家計債務で家を買った人の平均ＤＳＲ」と推定した数値です。ちなみに、人の収入がどういう形で構成されているかにもよるでしょうけれど、一般的に税金など義務的に支払う分を考えると、ＤＳＲは70％（所得の７割が返済に使われる状態）が限界だと言われています。

家計債務関連データを先ほどの「多重債務者」にしぼってみると、家計債務借主1978万人のうち、448万人が多重債務者でした。集計する機関によって460万人と出ることもありますが、おおまかに450万人前後の数値が出てきます。448万人となっているのは国会企画財政委員会所属の国会議員が分析したデータにおいてで、それでも過去最多となっています。

多重債務者が家計債務全体で占める割合は22・6％で、融資残高は572兆4000億ウォン、1人当たりの平均融資額は1億2785万ウォンでした。家計債務における多重債務者の平均DSRは61・5％。繰り返しになりますが、一部重複する部分はあると思われるものの、先ほどの自営業者債務とは別にカウントします。

データでは経済活動人口の1割以上となる299万人が、年収の7割以上を返済に使っており（GDP70％以上）、その中の175万人は、債務の返済に使う金額が年収より多い（元利金返済カバー率100％超え）状態となっています。国家単位でみても、スイスなど一部の福祉志向路線の国家を除くと、家計債務がGDPより多いのは世界で韓国だけです。日本などの普通の国は、GDPの6割、多くても7割くらいです。

## ●借金でSNSにアップするブランド品を買う

韓国を所得だけで見ると悪くないと思いますが、返済に使う割合がこれではちょっと問題です。借金を資産のように考えてきた結果とでも言いましょうか。家計債務の多くはマンション（韓国で言うアパート）購入のための不動産投資、いや投機です。特に最近は、若い人たちもマンションを買って値上がりを待つことを「人生唯一の成功への道」と信じ、無理な投資を続けています。経済的な管理能力の問題、モラルハザード（道徳的問題）などの側面ももちろんありますが、年齢によっては「生まれてからずっとそんな大人たちを見てきた」ので、それを当然のことだと思うようになったのも大きいでしょう。

日本もそうですが韓国では、「高金利の時代を体験したことのない」社会人が増えています。特に韓国の場合、大勢の若者たちが「お金を借りて、それを不動産などに投資、いや投機して、その不動産が値上がりするだろうから他のことは心配しない」、そんな大人たちの生き方を見て育ちました。そして、それが至高のものとされました。だから同じことをするようになりましたが、米国の金利引き上げなどにより金利が上がり、どうにもならなくなりました。若い世代の「個人回生（個人破産の一つで、日本で言う『個人再生』

制度のようなもの）」、「基礎生活受給（日本で言う生活保護制度のようなもの）」が急増しています。

同時に、「借りて先に借りた分を返す」時代が、終わりを告げようとしています。いままでは、普通の銀行で、普通の形でお金を借りることができた「高信用者」グループ。韓国ではこれを「信用等級3等級まで」とも言いますが、その中で3等級とされる人たちまで、借りて返す自転車操業ができなくなりました。これは家計債務による破産が、低信用者だけでなく「高信用者の中でも比較的低信用な人たち（3等級）」にも迫っていることを意味します。いや、「中産階級（中間階級）も自転車操業ができなくなった」と書いたほうが分かりやすいでしょうか。そう、破産はもう決して経済弱者たちだけの問題ではないのです。

日本のマスコミの記事、または地上波ニュースなどを見ていると、韓国について「誰も嘘はついてないけれど、騙される人はいる」ような報道が目につきます。これはネット社会でよく見られる風景ではあるものの、地上波放送でこんなことしていいのかと真剣に思うときもあります。たとえば、日本の地上波で「韓国の1人あたりの高級ブランド品購入額が世界1位になった」といったニュースが流れたことありました。あたかも「好景気のおかげで若い世代までブランド品を所持できるようになった」というふうに報道するシーンもありました。たしかに、韓国のブランド品購入額が世界1位になったというデータは嘘ではありません。しかし、実態はそうではありません。なぜなら、その購入費用の多くは借金だからです。まさに「嘘はついていないのに、騙される（ミスリードされる）人は出てくる」パターンです。

このブランド消費について私もブログで紹介したことがあります。ほぼすべての韓国メディアの報道は、日本とは異なり「自分の価値をブランド品に頼る社会風潮」「食事もろくに取れない人が、高級外国産車を買おうとする」「SNSに写真を載せるため、ブランド品の空っぽの箱が数十万ウォンで取引されている」などと極めて否定的に報道していました。私が読んだ限り、これを好況のおかげだとするメディアは一つもありませんでした。普通に余裕があって買う人もいるでしょうけれど、韓国もまた低成長に入りかかった国。そもそも好況という言葉は、しばらく聞いたことがありません。

ちなみに、これは日本旅行も同じで、日本旅行は韓国人、特に若い人たちにとっては一つの「ブランド」のような存在になっています。「まだ日本旅行もしたことがないの？」と言われたら、人間関係に結構ダメージが入るので、たとえ低予算でも日本旅行を「しなければならない」という強迫観念が生じているわけです。もちろん普通に日本文化と旅行の価値を楽しむ人たちもいるでしょう。この点は、ちゃんと併記しておきたいと思います。

## ●「初任給が日本より高い」の真相

マスコミの話に戻しますと、このような「誰も嘘はついていないのに騙される人が出る不思議」の一つに、韓国の初任給が日本より高くなったなどのデータを論拠に、韓国は日本より豊かになったとする主張があります。一人一人の生き方の問題だと言ってしまえばそれまでですが、やはりブロガーをやっているからか、こんな主張は実に不愉快です。まず、なんで生涯の所得ではなく初任給で比べるのかが疑問です。相応の意味があるからやっているのでしょうけれど、韓国は平均勤続期間が他国より短く、特に青年（29歳まで）層の場合、初職場での平均勤続期間は1年7か月に過ぎません。追い出される形での50代定年も少なくないため、勤続による賃金上昇も日本など他国に比べて少ないとされています。一時は45歳で定年という意味で、「45定（サオジョン）」という言葉が流行ったりもしました。

最新の調査では、サンプル調査ではありますが平均定年年齢が50歳で、しかも定年退職まで耐える人は1割にも満たないとされました。退職金も日本に比べて少ないほうで、2021年基準で平均1500万ウォンです。日本も韓国も、大企業と中小企業の金額差がかなりあるとは言われていますが、日本の場合、韓国よりずっと多く平均2000万円です。10倍以上の差があります。退職金を含めた生涯所得とすると、初任給限定比較の虚しさがさらに浮き彫りになるでしょう。

その他にも、いくつか考えるべきポイントがあります。先ほども書きましたが、韓国は自営業者が多い国ですが、2021年基準で平均所得が1952万ウォンまで下がっています。ちなみに日本の場合、自営業者の数は約200万人で、ネット検索してみた結果、平均年収は384万円とのことです。DSR、家計債務の返済額まで考えると、韓国の状況は、やはり大変です。

2023年8月30日、『韓国経済』という経済メディアが、住宅購入を前提にして5億ウォンを銀行から借りた場合、その利子の返済に日本と韓国ではどれくらい差が出るのかをシミュレーションしてみました。結果、韓国が低金利が続く日本より月165万ウォンもかかる、とのことでして。低金利なら何でもいいというわけではありませんが、日本と韓国の「年収」を考える上においては、このような差をカウントしないといけないでしょう。家計債務が大きく、しかも住宅価格が高すぎることもあって、常に借金の返済額を考えないといけないので、金利が少し動くだけで、この差は大きくなります。

ＰＩＲ（Price to Income Ratio　世帯所得対比住宅価格比率）というものがあります。個人ではなく世帯基準で、何年分の年収で家が買えるのか、という数値です。『Numbeo』という比較サイトによると（２０２３年９月確認）、ソウル市は27・7、東京は12・４です。それぞれ、家を買うには27・7年分、12・４年分の年収を使う必要があるという意味です。こんな中で初任給がどうとか言われましても……。

## ●中産階級に忍び寄る「破産リスク」

１９９７年に経済破綻、およびＩＭＦ管理を経験してから、２０００年代以降の韓国経済の立て直しを導いた中国経済への密着、そして家計債務。前者は、安保は米国に頼り、経済は中国に頼るという意味の「安米経中（アンミキョンジュン）」という言葉とともに、韓国経済の中心核となりました。その結果、いまの世界的サプライチェーン再編において、日米韓関係の「弱い環」（弱点）となり、国の経済予測を「中国経済が回復するのかどうか」に依存するようになりました。後者は、家計債務による不動産投資ですが、そのほぼすべては、まだつくっていないマンションへの投資でした。

２０００年代になってから、国家政策などでローンによるマンション購入が全国的に流行りました。特にその中でも、まだつくっていないマンション建設プロジェクトを、そのプロジェクトだけを担保にして金融機関からお金を借りる「プロジェクトファイナンス」などに、多くの金融機関、企業、個人が食らいつきました。率直に言って、ほぼ全国民が借金して不動産投資を行うなら、そして、それはすでに存在する不動産ではなく「つくる計画」の不動産への投資なら、とにかくお金がものすごい勢いで回ることになります。

不景気を表現するいくつかの慣用句の中に、「お金が回らない」というのがありますが、少なくともその心配はしなくてもいい時代が続きました。いままでは20代・30代の青年まで、できる限りの資金をかき集めてマンションを買う「ヨンクル（霊魂までかき集めるという意味）」投資にハマっています。彼らは、口を揃えて「マンションを買って、その値上がりを待つ以外に、身分上昇できる道などもうない」と言います。

ただ、一時的に経済発展を導いたとはいえ、このようなシステムが長く続けられるはずはありません。いまでは月収300万ウォン、約30万円以上の中産層（中産階級）の債務調整が急増しています。2023年9月、『CNBジャーナル』など複数のメディアがこの件を報じたとき、ネットでは300万ウォンでは中間階級としての暮らしなどできない、少なくとも500万、600万は必要だという書き込みが目立ちましたが……そこは体感とデータの乖離、とでも言いましょうか。

韓国では世帯構成員の数によって差が出ますが、3人世帯あたりだと月収300万ウォンでも一応中間階級（概ね、所得中央値の75%から200%まで）ではあります。いままでは借金が返せない、言い換えれば「新しく借金ができない」のは、一握りの「低所得層の問題だとされてきました。いまさらですがひどい書き方をすると、「私とは関係ない問題。金も借りられない無能なやつらの問題」とされてきたわけです。しかし、いまでは何かの形で裁判所に債務調整を申請した人の5人に1人は中産層、すなわち月収300万ウォン以上の人たちです。先ほどの賃金勤労者の金額別所得データと合わせて読んでみると、「消える人」の番号が、どんどん上がってきているのが分かります。

## ●「高信用者」すらお金を借りられない

所得だけではありません。信用等級3等級の人たち、いままでは一応「高信用者」とされてきた人たちでも、もうお金を借りることができなくなっています。韓国人は、誰もが信用等級というものを持っています。数年前までは1等級から10等級で分けていましたが、最近は1000点満点でもっと細かく分けるようになり、「信用スコア」と呼ぶようになりました。このスコアによって銀行との取り引きが可能なのか、ローンの際に利率はどれくらいになるのか、などが決まります。普通、1000点〜941点までが1等級、940点〜891点までが2等級、890点〜831点までが3等級で、ここまでを「高信用者」とします。韓国では、金融機関での取り引きがもっとも自由な人たちです。

まだ韓国にいた頃、私は不動産などを買わずに定期預金派でした。当時は利子が結構つきましたし、不動産にはあまり知識も興味もなかったからです。そのおかげで、日本への移住もスムーズにできました。その頃、銀行にもよく顔を出していたので窓口の人たちともそこそこ仲が良かったですが、いつだったか、別の件で窓口で待ちながら「私はローンを全然組んでないから、信用等級は1等級なのでしょうか」と聞いてみたら、銀行の方が

「いいえ、先生は2等級です。借りてはちゃんと返済し、また借りてちゃんと返済し、それを繰り返さないと1等級にはなれません」と教えてくれました。もう結構前のことなので、最近はまた状況が異なるかもしれませんが。

そして、その高信用者、「家計債務大国」の韓国において、「後天的な貴族」とも言えるこの高信用者の中でも「3等級」の人たちは銀行でローンを組むのが難しくなってきました。理由は、最近数年間、各銀行がリスク管理を強化し、信用が低い人にはローンを出さないようにしてきたからです。3等級よりもっと信用スコアが低い人たちはとっくにカットされました。先ほどの喩え話だと、「部屋から消えました」。銀行からすると取り引き相手（顧客）の平均信用スコアが高くなり、そこに加えて、国内外の金融環境の変化などでさらなるリスク管理が必要となり、その結果、3等級にまで貸し出さなくなったわけです。かつては後天的な貴族の一員であった3等級の顧客は、もはや「信用」できなくなったのです。

このように韓国では「融資の崖（※ローンが組めない）」とも言うべき現象、言い換えれば「背番号が低い人たちから消えていく恐怖」が拡大しているわけですが……さて、それでは、この消えていった人たちはどうすればいいのでしょうか。家計債務の自転車操業の結果、韓国に出来上がったシステムとして、普通の銀行を意味する「第1金融圏」、ローンが組みやすいけれど金利も高いノンバンク領域の「第2金融圏」、合法的に運用している貸金業を「第3金融圏（貸金業者、貸付業者）」とする棲み分けがあります。言うまでもなく、第1よりは第2が、第2よりは第3が金利は高く、貸出は受けやすくなっています。

本書を書いている2023年秋の時点では、第1金融圏、すなわち普通の銀行は3等級の人たちを「切り捨てる」方針です。第2金融圏のもっとも代表的な業種である「貯蓄銀行（※銀行となっていますが、正確には銀行ではありません）」を総括する貯蓄銀行中央会によると、2023年8月基準で、家計信用ローンを扱った貯蓄銀行31行のうち16行は、信用スコア600点以上の「6等級」までにしか貸出を行っていません。6等級まではなんとか第2金融圏を利用できますから、先ほどの3等級の人たちも、これからは第2金融圏を利用することになるでしょう。ただし、毎月返済すべき金額は大幅に上昇するでしょうけれど。それでは、7等級からの人たちはどうなるのでしょうか。2～3年前までは、第3金融圏（貸金業者）のところに行きました。しかし、これが機能しなくなりました。

## ●行き着く先は金利414％の「サグミュン（私金融）」

合法的なシステム、韓国では「制度圏内」とも言いますが、第1〜第3金融圏の枠内においては、もっともリスクが高い貸金業者を利用する、いや「するしかない」人たち。家計債務の構造は、ローンを返済するためにまたローンを組む、いわゆる自転車操業状態で維持されているため、第3で借りることができなくなると、その後に行くところは平均金利が414％（2022年）とされる、違法金融業者だけです。5000％超えもあったそうですから、もはやどういう世界なのかと。私的な金融、または私的な債券という意味で、私金融（サグミュン）、私債（サチェ）などと言います。

喩えではなく本当に「（闇の金融の世界へ）消える」という不安が、第3金融圏利用者たちの身近に迫っています。第3で借りることができないと、事実上サグミュンしかありません。そんな中、複数のメディアが「第3金融圏が出した貸出金額の規模が、2022年の4兆ウォンから今年は1兆ウォン未満になると思われる」という記事を出しています。特に、2023年10月1日の『毎日経済』の記事は、個人的に前から知りたかった数値も載っていました。

「国会政務委員会所属の『国民の力』キム・ヒゴン議員が庶民金融振興院から受け取った資料によると、今年上半期の貸金業者の新規・一般家計信用融資は、6000億ウォンだった。昨年の場合は4兆1000億ウォンだった点を勘案すれば、今年の供給額は1兆ウォンに満たないだろうというのが貸付業界内外の展望だ」とのことです。

実に大幅に減りました。「利子の高い貸金業者から借りる人が減ったからいいことではないか」といった論理展開をする人もいますが、そう簡単な問題ではありません。これは法定上限金利20％では、貸し出しても収益を残すことができなくなったからです。もともと貸金業者（第3金融圏）を利用する人たちは、業者からすると貸した金を回収できないリスクが高いのです。そうした負担まで考えて金利を決めないといけないのに、上限が20％では仕事ができなくなりました。また、貸金業者は銀行や一部の第2金融圏のように「預金」を受けることがないので、貸し出すための資金を用意する調達費用が高くかかります。最近の高金利などで、業者も業者なりに、資金を調達する費用が膨《ふく》れ上がりました。

2023年の第3金融圏の貸出総額が、記事の予想通りに1兆ウォン未満になるならば、前年に比べて3兆1000億ウォン減ります。では、その金額分の人たちは、いったいどこへ行ったのでしょうか。そこが一番の問題です。資産を売却してなんとかなったとか、素直に破産したとか、何かの方法でお金が手に入ってうまくいった人たちもいるかもしれません。しかし、そんなミラクルなケースが、どれくらいあるのでしょうか。しかも、これは第2金融圏の代表格である「貯蓄銀行」も同じです。同じく2023年上半期のデータですが、貯蓄銀行が新たに出した家計信用貸付（貸出）は、5兆8000億ウォンでした。これは、先ほどの貸金業者の6000億ウォンと合わせてすら、2022年の約60％ほどにしかなりません。

では、金融機関が貸さなくなった金額の分の人たちは、どこへ行ったのでしょうか。第2金融圏で借りられなくなったら、第3金融圏へ行けばなんとかなるのがいままでの常識でした。しかし、第2金融圏で借りることができず、第3金融圏は事実上、新規貸出をしていません。そうなると、次に流れ着く場所は決まっています。違法金融業者、サグミュンです。金融監督院が受け付けたサグミュン関連の相談件数は2019年には2000件でしたが、今年は上半期だけで6800件。しかも、実際に把握できるのはほんの一握りだと言われています。これは、違法金融業者を恐れて通報できないという理由もありますが、「それでも、もう借りられるところが他にない」という心理から、通報することを躊躇ってしまうからです。

こちらはもう少し前の記事で、利用者数のことですが、２０２２年10月20日の『ヘラルド経済』によると、第３金融圏を利用する人の数は、資料上確認できる範囲内で２０１７年には２４７万人でした。このときは、上限金利が27・５％で、それから24％、20％と相次いで引き下げられ、20％になった２０２１年には、貸付業者の利用者数は１１２万人にまで減りました。ちなみに、韓国の経済活動人口は２８００万人とされています。

さて、第２・第３で借りたお金が去年比で60％しかない。第３金融圏だけでも、４兆１０００億ウォンから１兆ウォンに減りました。では３兆１０００億ウォン分の人たちは、どこへ行ったのでしょうか。どこの世界に消え、そこから帰ってくることはできるのでしょうか。

違法金融業者を利用する人たちが借りた金額は、平均で３８０万ウォンでした（２０２１年）。違法金融業者と合法的に運営されている第３金融圏で借りられる金額が同じだとは思えませんが、３兆ウォン減ったとすると、単純計算で約79万人分が、制度圏という部屋から消え、平均金利４１４％の違法金融業者の世界へと消えていったと考えられます。彼らはそこから、帰ってくることはできるのでしょうか。ちなみに、違法金融業者たちの金利は、２０２１年には平均２２９％だったものが、２０２２年に４１４％へ急騰しました。

## ●自己破産する若者たち

個人回生、日本で言う「個人再生」制度を選ぶ人たちも増えてきました。これは個人破産の一種で、特に青年層で急増しています。裁判所行政処によると、倒産手続き全体のうち免責案件を除いた個人回生、個人破産、法人回生、法人破産案件が、すべて大幅に増加していています。特に個人回生（個人再生）は、2023年8月までに合計8万748件が受付され、すでに2021年に受付された個人回生案件（8万9966件）の約90%に達しています。先ほど多重債務者が450万人いるとお伝えしましたが、そのほとんどは自転車操業状態とみなされています。違法金融業者から借りるのか、または破産するのか、どちらの「消える」にしても、その予備軍は大勢います。

債務調整にもいろいろありますが、個人の破産関連だと韓国のメディアでは「個人回生」制度がもっとも一般的に取り上げられます。日本でニュースを見ていると、企業が破産したという話はよく聞きますが、個人が破産したといった話はあまり出てきません。どちらかというと韓国に比べて日本の場合は、企業もそうですが、特に個人の問題においては「自己責任」という見方が圧倒的に強いからでしょうか。自分自身でなんとかしなさい、と。でも、韓国ではあまりにも大勢の人が当たり前のように家計債務とともに生きているので、個人破産データはいつも大きなニュースになり、特に身近さがある個人回生のニュースは、多くのメディアが1年に数回は関連記事を取り上げています。

制度がまったく同じなのか不確かなので、日本との単純比較は難しいかもしれませんが、個人回生制度は、よく「韓国版個人再生制度」とされており、かなり近い性質のものです。その個人回生が、2023年8月基準の前年同期比で40％も急増しました。8月までで8万件を超えた韓国。一方、日本の個人再生は2022年基準で1万2864件（申請数）でした。

そして、関連データの中でも特に目を引くのが、20代・30代の個人回生の多さです。これは2023年6月基準のデータですが、2020年と比較して20代の個人回生申請者は61・2％増加（8603人→1万3868人）、30代は33・5％増加（1万9945人→2万6626人）しました。関連統計によれば、何らかの形で借金の返済を履行しなかった人の約3分の1が20代と30代でした。これは野党国会議員が韓国銀行・最高裁判所などから受け取ったデータを分析したもので、『メトロ新聞』の記事（2023年10月1日）からの情報です。すでに個人回生ブローカーや個人回生専門弁護士などが大きなビジネスチャンスになっているという、笑えないニュースもあります。2023年6月22日の『国民日報』の記事を一つ紹介しましょう。

〈……一部の債務者は、免責を得るために、最初は「高級品」の購入や、複数回の整形手術などを述べない。しかし、支出内訳はその後の調査でバレたりする。本人と配偶者の収入を超えたショッピングを続ける事例、クレジットカードだけを信じて海外旅行を続けていく事例、輸入車を何度も買い替える事例などがそうだ。債務者たちは消費習慣が間違っていると『懺悔《ざんげ》』の陳述書を書き出すが、一部は裁判所手続きの進行中にも高価ショッピング、オンラインギャンブルを続けて摘発されたりもする。稀にではあるが、債務者が個人回生として裁判所から認められた後、自分で自分に「お祝い」するために、追加でお金を借りる事例も見られる。「限界が感じられる」というのが、裁判所関係者たちの経験談だ……簡単にお金を借りられますという広告は、あらゆる手段で人々のところに届けられる。「容易に多くを借金を削減できるノウハウがあります」とささやく個人回生専門ブローカーも多く、法律事務所は弁済率を下げた事例を、自分の実績として提示する。青年たちはもう、「借りて、返済できないなら、個人回生すればよくね?」と話している〉（国民

日報）

引用部分にはありませんが、同記事には債務者の財産、所得、弁済計画案などを検討する「回生委員」たちの体験話がいくつか載っています。抜粋してみますと、「収入に比べ過剰な支出をする事例」「株式およびコイン投資による事例」「財政的なことは考えずに高価な塾に金を使いすぎる（過ぎた私教育）」などが多く、調べれば調べるほど嘆かわしいとのことです。普通、個人回生を申請し、それから裁判所が相応の調査を行い、個人回生が妥当であるかどうかを決めます。それが回生委員たちの仕事です。個人回生を申請した人たちは、自分にとって不利なこと、たとえば遊びにお金を使いすぎたとか、そういった内容は隠します。しかし、委員たちが調べてみると、いろいろ出てきます。

債務が多いのに頻繁なタクシー利用。借金漬け状態にもかかわらず、インターネット放送への数百万ウォン台の「投げ銭」後援。「繰り返し『グッ（シャーマニズム儀式）』を行う」といった普通とは思えない消費パターンが次々と明らかになり、委員たちを困らせます。

記事で気になったのは、これらの行動が「投資失敗」とつながっていると委員たちが話していることです。記事に詳しい説明はありませんが、韓国では、たとえばローンでマンションを買うと「どうせマンションは値上がりするものだから」と、海外旅行や高価なブランド品購入など、明らかに過ぎた消費に走る人たちがいます。こういう人たちが、先ほどの「借金漬けなのになぜかお金を使う」ケースの一つだと思われます。マンションが値上がりしないと、すべての人生計画が台なしになるパターンです。シャーマニズム儀式の話も出てきますが、投資の失敗をなんとかしようと、グッをしてマンション価格が上がるようにしたかったのかもしれません。それが原因で破産したとなると、もうどこからどうツッコめばいいのか分かりませんが。

## ●若者の4人に1人は「白手（仕事をしない人）」

こんな有り様ですが……同時に20代・30代の「基礎受給者」も急増しています。これは、制度がかなり異なりますが、趣旨としては日本で言う生活保護制度のようなものです。国民生活保障法という法律により、教育、住居などいくつかの種類の政府の扶助を受けることになります。いま、この基礎生活受給者となる青年たちが急増しています。

2022年10月29日の『KBS』の報道によると、5年間で1・7倍も増え、2022

年8月基準で24万5０００人になりました。こちらも、制度の趣旨が同じでも制度そのものが同じではないので日本と韓国の単純比較は難しいでしょうが、日本の場合、令和2年時点で20代・30代の生活保護受給者は約15万人です。ＫＢＳの記事にある24万5０００人に人口比率を考慮すると、ざっと日本の4倍以上です。

他にも、韓国では「青年貧困」とされる問題が、青年失業問題とともに大きな社会問題となっています。２０２３年9月、中国が都心部の青年失業率を発表しないと宣言し、「どれだけ青年失業率が高いんだよ」と世界的に話題になりましたが、ちょうどその頃、韓国でも青年失業関連で「あるデータ」が話題になりました。

韓国の青年失業率は、概ね5％～6％とされており、ときには10％近くまで上がる時期もあります。日本からすると「それでも高いね」と思われるかもしれません。ですが、世界的に見ると、一応これでもトップクラスに低い水準となっています。ところが実際は、もうかなり前から「少なくとも4人に1人は『白手』だ」と指摘され続けています。「白手（ペクス）」とは、「仕事をしない人」という意味です。余談ですが、女性の場合は「白手ではない、白鳥だ」と言ったりします。というか、自分で言います。

青年失業率5％前後と発表している国で、なぜ白い人たちがこんなに多いのか。同じく非公式ではありますが、「3人に1人が白手」という見解まであります。実際の失業者の数と発表されるデータの体感的な乖離があるわけです。というのも、公式に失業者にカウントされるには、いくつか条件があります。たとえば、「失業率調査の4週間前から積極的に求職していること」などの条件を満たさないと失業者としてカウントされません。当然、失業率にも反映されません。それらの側面から考えて、「実際の失業率は25%を超えている」という話が一部専門家から出てくるようになりました。噂話のように「4人に1人」ではなく、相応の根拠も提示していましたが、あまり大きな話題にはなりませんでした。

ところが2023年9月、この件で「15~29歳の人のうち、『高校や大学を卒業・中退した人』の数と、その中でちゃんと就職できた人の数を調べて、割合を出してみれば、実際の失業率が分かるのではないか」という分析が行われました。「高校や大学を卒業・中退した人」というのは、ちょっと説明が必要だと思われますが、言い換えると「学生じゃない人」という意味です。なぜなら学生、すなわち在学中または休学中の人は、まだ就業や失業などを論ずることができないからです。卒業と中退以外には「学生ではなくなる」条件がないので、「高校や大学を（最終的に）卒業・中退した人」という書き方になったのです。ちょっとややこしいですね。

とりあえずそうやって調べてみたところ、卒業または中退した後、すなわち「学生ではなくなった後」も未就職のままの人を「青年白手」としてカウントしてみた結果、その数は126万1000人に達しました。統計庁の資料によると、15～29歳の青年層人口は841万6000人で、そのうち最終学校の卒業・中退者、すなわち「学生ではない人」は452万1000人でした。その中の126万1000人が、未就職状態だったのです。

さらに、複数のメディアが「衝撃的」と報じている部分が二つあります。一つは、その126万1000人のうち、半分以上の最終学歴が大卒だった点。もう一つは、彼ら未就業者のうち25％がこれといって何もせず、「家などでただ時間を過ごすだけ」の状態だった点です。

就業できた人たちの場合、卒業・中退から初就職までにかかる平均期間は10・4か月。ちなみに、この場合は兵役期間約24か月はカウントしません。韓国では、日本のように「内定」という言葉が一般的ではありません。私も初めて「内定」という日本語を聞いた時、その意味がよく分かりませんでした。就職まで2年以上かかった人は59万1000人（15・3％）、3年以上は32万4000人（8・4％）。そうやって会社に苦労して入っても、青年層の最初の職場での平均勤続期間は1年7か月に過ぎません。賃金や労働時間などの問題、すなわち労働条件不満足（45・9％）がもっとも多く、一時的・季節的な仕事の完了や契約期間終了（14・7％）などです。こうした状況下で、若者の4人に1人が仕事を持たずにいる。それが韓国の現状です。

# 第六章　限界企業

## ●「賃金未払い」が日本の10倍

『クオ・ヴァディス』という映画を見ると、イエスの一番弟子とされるペトロの「主よ、どこへいらっしゃるのですか（クオ・ヴァディス・ドミネ）」というセリフが印象的です。ペトロは、自分が行こうとしている方向は主が望むものではないと気づき、ネロ皇帝の迫害が続くローマに戻って主の永遠さを説きますが、兵士たちに捕まり、結局は処刑されます。そして、聖人として名を残しました。比較というか対極的な話として、韓国ではいま、物質主義の一番弟子か何かの人たちが、「金よ、どこへいらっしゃるのですか」と叫ぶ状態が続いています。迫害（返済）が続いている現実に戻り、マンションの永遠さを説くものの、お金は借りられず、結局は個人回生またはサグミュンに流れます。廃人としての名は残せるかもしれません。

ふざけた書き方ですが、物質主義を信仰に近い何か、つまり価値観の核心だとすると、これは単に経済問題を超える心理そのものの問題です。自分の苦しさだけでなく、社会問題そのものを「誰か悪いやつ」のせいにしなければ耐えられない、そんな心理状態が続いているのではないか。実にひどい話です。でも、それが嫌悪を呼び、悪魔化を呼び、憤怒を分断へと追い込んでいく。そうとしか見えないのもまた事実です。社会に何か悪いデータが出回るのを「心待ちしている」人たちが多いのも、結局は同じでしょう。「自分以外の何かが悪い。ほら、また一つ、その証拠が出てきた」、すなわち「私は被害者なんだよ」と。本当にひどい話です。

企業関連の話もちょっと書いてみましょう。韓国では年2回、ソル（旧暦元日）とチュソク（秋夕、旧暦お盆）になると、各メディアが盛大に取り上げるテーマがあります。「賃金未払い」です。2023年は市民団体による1000人のサンプル調査ではありますが、会社員（製造業なども含めて）の43％が賃金未払いを経験したことがある、というニュースも流れました。この手のニュースは政権の旗色（保守かリベラルか）に関係なく、もはや恒例となりました。

特に2016年には、「日本の10倍」というデータが複数のメディアに載り、大きな話題になりました。「2016年基準で、賃金未払い労働者数32・5万人、1兆4286億ウォン」「同年の日本の賃金未払いの労働者は3万5120人、未払い額の規模は127億2138万円」として、記事当時の為替レートにすると日本の約10倍になる、という内容です。人口比まで考えるとすごいことになります。

## ●景気が悪いときは給料を払わなくていい

これは、もちろん経済の構造的な問題もあるものの「『人に賃金を与えない』という行為について、事業主はこれといった問題意識をもっていない」という指摘も出ています。2016年9月4日の『京郷新聞』をはじめ、複数のメディア・専門家が同じ指摘をしています。日本には「小さい会社だけどグローバル市場での競争力を備えた、いわゆる『強小企業』が多い」こと、「韓国では大企業の下請けに依存する中小企業が多すぎて、大企業が一方的に納品単価などを引き下げたりすると、中小としては結局、人件費を削るしかない」などの指摘もあります。しかし、それだけではないというのです。

同じ時期の『聯合ニュース』、『京郷新聞』など複数のメディアは、専門家および実際に本件についての監査・監督関連の仕事をする人たちの話を引用しながら、労働者の賃金未払いは韓国労働市場の「文化」にこそ根本的な原因があるとします。「相当数の事業主が、景気が悪くなれば従業員の給料は与えなくてもよいという誤った認識をしている」というのです。さらに、会社の業績などがそこまで悪くならなくても賃金を払わない事業主を見つけるのは、そう難しいことではないというのです。その「未払い」が、労働者たちにとっては「人質」のような存在になり、政府機関などに通報することはほとんどない、とも。先ほどの市民団体調査でも、政府機関など関連部署に助けを求めたという人は、賃金未払い被害者の24・3％だけでした。

賃金未払い額（確認できる範囲内で）は、２０１９年に1兆７２１７億ウォンでピークとなり、それから２０２２年に1兆３４７２億ウォンまで減少しました。実はこれについても「裏」の側面がありますが、それは後にして、ひとまず減少したとしておきます。ですが、それでも毎年1兆ウォンを軽く超える規模、すなわち１０００億円を軽く超える賃金未払いが発生しています。特に２０２３年（データ集計1月〜7月）は、高金利による各企業の債務返済負担、建設業を中心とした経済不況などで、賃金未払いは早くも９７５2億ウォンに達しています。２０２２年の同期比で27％以上増えており、まだ集計中の８月分まで考えると30％以上の増加が予想されています。

長い間、この件を追っているパク・ソンウ労務士は「現場の未申告・未認定金額まで考慮すると、規模は公式統計よりはるかに大きいだろう」「賃金が受け取れなかった人の約70％は、30人未満の事業場で働いている。ほとんどは賃金をきちんと受け取れなければ、すぐにでも生計そのものを心配するしかない境遇だ。しかも、今年は高物価が昨年から続いている」など今年も嘆きのような記者会見を開いていましたが、いまのところ、この問題が改善する可能性は高くありません。最低賃金がすでに大幅に上がっているからです。

雇用労働部の発表した統計の年間推移を見ると、賃金未払いは2019年に1兆721 7億ウォンから2020年に1兆5830億ウォン、2021年に1兆3503億ウォン、2022年に1兆3472億ウォン。しばらく減少したように見えますが、これに潜む「裏」こそが最低賃金です。そう、賃金未払いが減ったのは、最低賃金に耐えられなかった事業主が労働者をリストラした結果でもあります。つまり、最低賃金すらも与えなくなったのです。2022年6月4日の『朝鮮日報』の記事は、「2017年~2021年までの5年間の未払い賃金が7兆ウォン。同期間の日本の未払い賃金に比べると14倍規模」としながら、この最低賃金問題をセットで取り上げています。「文政権が急速に賃金を引き上げたことで、最低賃金が支払えない小規模の商・工業者、中小企業が急増した」と。そうした企業は、リストラするしかなかったのです。同じ理由で最低賃金がもらえない労働者の数も急増、確認できる範囲内で2017年の266万人から2021年には321万人となりました。これは、賃金労働者全体の15・3%になります。そして、未払いと同様に、この件で実際に関連部署に通報・申告する人は一握りです。法令違反ではありりますが、それでもこの人たちは、リストラされるよりは最低賃金未満の給料で働く道を選んでいるのです。最後に、外国人労働者の賃金未払いは、確認できたのは「5年7か月間で6148億ウォン」（『オーマイニュース』9月6日）だった、とのことです。

## ●借金の利子が払えない「限界企業」

では、賃金を払わない分、企業側（雇用主の方）は余裕があるのかと言うと、こちらも思わしくありません。韓国は民間債務（家計債務、企業債務、自営業債務）が世界トップクラスに大きな国であり、「インタレスト・カバレッジ・レシオ（ICR、利子補償倍率）」がよく話題になります。他の国でも重要なデータではありますが、日本ではあまり聞いたことがない気もします。「利子補償倍率が1未満」というのは、「稼ぎ（営業利益）で借金の利子が返済できない状態」という意味です。結論から言いますと、2023年1～3月基準で韓国の企業の46％が利子補償倍率1未満状態です。韓国銀行が2023年9月26日に発表した金融安定状況報告書によると、今年1～3月期の利子補償倍率1未満企業の割合は46％。2022年末には36・4％で、今後もさらに悪化が予想されます。

この利子補償倍率1未満の状態が「3年間続いた」企業を、韓国では一般的に「限界企業」と言います。複数のメディア、たとえば2022年11月14日の『時事ジャーナル』などによると、各機関によって集計は異なりますが、産業銀行KDB未来戦略研究所の『限界企業現況と示唆点報告書』によると、2021年末基準で限界企業は企業全体の18・3%。5年間で106%増と倍増しました。「韓国経済人連合会」の調査では、「2022年、上場企業全体の17・5%が限界企業」ともされています。限界企業には大企業も多く、上場企業だろうが大企業だろうが、状況は似ていると言えるでしょう。

さらに関連記事をいろいろ読んでみると、10年連続で利子補償倍率1未満の企業も多く、そんな状態でどうやって存続できているのかと言うと、どうやら韓国の国営銀行である「輸出入銀行」が、彼らにお金を貸しているようです。輸出入銀行は、政府（企画財政部）傘下の銀行で、輸入・輸出・海外投資などを支援します。2023年10月4日、『毎日経済』などの報道によると、その輸出入銀行が2022年に限界企業へ10兆ウォン以上を支援した、とのことでして。この金額は2021年の約2倍。輸出入銀行の自己資本は18兆7000億ウォンです。しかも、貸し出した金額の86%は大企業へのものでした。

詳しくどの大企業なのかはどの記事にも書かれていないし、これだけで言い切ることはできませんが、経済への影響を考えて政府が大企業への延命措置をしているとも言えます。

さらに、民間の金融機関は、もう限界企業には貸出をしなく（できなく）なっていて、財閥（大企業グループ）中心で構成されている韓国経済の構造上、政府としては支持率対策としても、仕方なく国営銀行が金を貸しているのではないか、そんな見方もできます。

ちなみにこの「利子補償倍率1未満」企業、特に限界企業（3年連続）の急増は、文政権の「素部装（素材・部品・装備）の国産化」政策も一因です。反日政策の副作用とでも言いましょうか。今は解除されており、個人的にはもう少し長くやってほしかったところですが、2019年から約3年半の間、日本は半導体製造の核心素材とされる三つの品目の韓国への輸出管理を強化しました。別に「禁止」したわけでもないのに、それから韓国では「日本依存度を下げる」「もう二度と日本には負けない」などのスローガンのもと、素材、部品、装備、略して「素部装（ソブジャン）」の国産化が国是のようになりました。それから毎月のように「依存度を下げた」「国産化成功」などのニュースが流れましたが、実はこれまで日本の国内企業から輸入していたものを、海外にある日本企業から輸入したり（余計に金がかかりますが、統計上では「日本からの輸入」は減ったことになります）、国産化できたものの実用化には至らなかったりしました。その頃のことです。

2021年10月7日の『韓国経済』の記事によると、「素部装」の売上高が50％以上を超える「素部装専門企業」のうち、限界企業が「4年間で2倍以上増加（437社から890社以上に増加）」しました。記事は、文政権が2019年から素部装産業の重要性を強調し、大規模政府予算を投資してきたが、素部装企業に対する支援の手続き、支援事業の成果、支援対象の検証がうまくできず、「競争力強化ではなく、政府の予算に依存する企業だけを量産しているのではないか」と疑問を提起しています。どうせ営業利益があまり出せないなら、売上高の50％を素材部品装備関連にするのは、そう難しくもないでしょう。むごい話です。余談ですが、利子補償倍率1未満の企業の債務について、企業数より「企業債務全体において、ICR1未満企業の債務の割合」のほうが大事だとする意見もあります。政府も家計もそうですが、特に企業の債務というのは「無条件で悪いもの」と言い切ることができません。だから、その中の「企業債務のうち、リスクが高い（ICR1未満の）債務の割合がどうなっているのか」をチェックしたほうがもっと現実的な分析である、という趣旨です。

2023年5月30日の『東亜日報』の記事もそういう趣旨で、2021年7月から2022年6月までの1年間、利子補償倍率1未満の韓国企業の債務を調べてみましたが、韓国企業債務全体の22・1％となりました。世界平均が16・8％で、アジアだけの平均だと13・95％になります。インドが31・1％でかなり高く、次がタイの28・3％、中国が25・8％、インドネシアが22・7％で、これらも韓国とともに、デフォルト・リスク（※債務不履行のリスク）の高い企業が抱えている債務が、企業債務全体の20％を超えていました。ちなみに、同記事のデータでは日本は15・8％です。

## ●蔓延《まんえん》する「チョンセ詐欺」

そろそろ息苦しい借金の話、「現実」という名の物質主義信仰の破綻の話は終わりを迎えるときがきました。他の章も息苦しいのであまり目立ちませんが、お疲れ様でした。こんな状況が、幼い世代にもそのままつながる、移るというか「感染《うつ》る」ことを考えると、実に不愉快な話です。でも、現実でもあります。本件の最後にちょっとだけ触れたいのは、詐欺の話です。最近、韓国の若い世代を苦しめている社会問題の一つが、「傳貰（伝貰、チョンセ）詐欺」です。韓国では保証金として大金（時期にもよりますが家の価格の60～80％）を大家に預けて、家をまるごと借りる傳貰《チョンセ》制度というものがあります。大家はその金で別の投資を行いますが、保証金はあとで入居者に返すことになっています。昔は、単に銀行に預金しておくだけでも利子が結構付きましたし、大家としては何の問題もありませんでした。その利子のほうが、普通に入居者から毎月もらう家賃より大きかったからです。入居者も、保証金はあとで返してもらえるので、楽でした。

しかし、経済状況の悪化とともに大家の投資がうまくいかなくなり、保証金をどこかに使ってしまう大家が続出します。そして、新しい入居者から保証金をもらって、その保証金で前の入居者に返す、ある種の大家版自転車操業が一般的になりました。入居者もチョンセの保証金を銀行から借りないといけないので（昔は、田舎の実家や親の家を処分してそのまま上京するなど、自分で持ってきたお金を保証金にするのが一般的でした）、結果的に大家にも入居者にも苦しい制度となってしまいました。そこを狙ったのか、最近は「チョンセ詐欺」というものが流行っています。

パターンは様々です。ある大家が家を担保にしてお金を借りて、ちゃんと返済できずに延滞しているとします。その家は金融機関に取られる危険性の高い物件などで、チョンセとして貸しても誰も入居しません。そこで、不動産仲介業者と大家がグルになって、各種書類を偽造するなどして、その家をチョンセで貸し、保証金をもらってそのまま逃げるといった形です。ある場合は、家を購入し、それをチョンセで貸して、その保証金に新しい借金を加えて別の家を購入し、またその家をチョンセで貸して……という、錬金術のような手口で数百の家を手に入れ、結局は破綻して数百世帯の入居者全員の保証金が空中分解してしまうケースも頻繁にあります。近年、この数百世帯単位を巻き込んだ事件が、年に数回も報道されるようになりました。

保証金は金融機関の債務に比べると優先順位が低いので、返してもらえる可能性は低いです。最近は大統領自らが、家をオークションにかけた場合、チョンセ保証金を優先して返すように指示しましたが、そんな物件の場合は、そもそもオークション価格がとんでもなく安くなる（返す分を考えて入札額が低くなる）事態が相次いでいます。どのみち入居者からすると、保証金を返してもらうのは無理でしょう。

これだけでなく、韓国社会は詐欺が多いのが特徴です。個人的に、これは韓国人特有の「世の中が悪い」とする考えの悪しき発現だとも思っています。「世の中が悪い」という人々の中で生まれ育つから、無意識的にそれを肯定してしまい、嘘をつくことに抵抗感がないわけです。詐欺事件は、犯人だけでなく「人間」そのものを信じない社会をつくり上げます。『朝鮮日報』（２０２３年４月20日）によると、世界各国では普通、犯罪件数のトップは「窃盗」ですが、韓国だけもっとも多い犯罪が「詐欺」です。しかも毎年急増していて、詐欺犯罪の件数は2011年の22万件から2020年35万件と、10年間で60％も増えました。OECD加盟国の中で、こちらも1位です。記事によると、14歳以上の国民1000人に1人は詐欺に遭っている計算になるそうです。記事は「詐欺罪での告訴が容易で、誇張されている」との見解も併記しつつ、「他人をだまし、嘘をつくことを、大した問題と思わない文化に原因があるとする人が多い」としています。

ちなみに、この「嘘をつくことに抵抗感がない、むしろ賢いことだと思っている」という部分、以前から私が拙著やブログに書いていて、韓国側のメディアから嫌韓作家などと言われた一つの理由だったりしますが、もう韓国の大手メディアにも同じ主張が載ることになったと思うと、妙な気分です。韓国には「うまい嘘は、叔父さんより役に立つ」という諺もあります。うまくつくことができれば、嘘は親戚より役に立つという意味です。

それでは次の章では、最近話題の「日韓関係改善」について考えてみます。本題からは脱線することになりますが「分断」という面から考えると、そうでもない気もします。すでに分断されているものにおいて、根本的な改善はできるのでしょうか。ある意味、日本の外交においても韓国の外交においても、最大の不安要素ではないでしょうか。

# 第七章　絶対に変わることのない「反日」

## ●政治においても「親○」か「非○」か

韓国は現状、いつ政権交代が起きるか分からない状態です。言い換えれば「政権交代するかも、しないかもしれない」ので、予想も含めて原稿を書かないといけない私のような人にとっては、実に悩ましい状態です。政権交代は民主主義の華だ、と話す人もいますが、民主主義がどうとか以前に、ただ不安定なだけです。２０２２年、いわゆる「左派政権」である文在寅政権から、右派（保守）政権とされる尹錫悦政権に政権交代しました。韓国は、２０００年代になってから頻繁に政権交代が起きています。１９９８年～２００８年（２月）まで左派政権、２００８年２月～２０１６年まで右派政権、そこで大統領が弾劾される事態となり、２０１７年～２０２２年５月まで左派政権、そして２０２２年５月から２０２７年５月（予定）まで右派政権となっています。

人によって定義する時期が異なる場合もありますが、国民投票による大統領選挙で盧泰《ノテ》愚《ウ》氏が大統領に就任した１９８８年までを軍事政権と言います。その間は、軍人出身大統領である朴正《パクチョン》熙《ヒ》、全斗煥《チョンドゥファン》大統領が、その圧倒的な支配力で経済発展などにおいて大きな業績を残しましたが、はっきりしない理由での戒厳令による統制強化、国民投票ではなく選挙人団投票による長期執権、デモの流血鎮圧、反共主義を名分にしての人権弾圧などがあったのもまた事実です。そうした経緯もあって、韓国では大統領は5年単任制になっています。すなわち同じ人が2回大統領をすることはできなくなっています。本当にこれでいいのかという反論もありますが、先ほどの軍事政権時代の長期執権があったので、なかなか反論しづらい雰囲気になっています。

ちなみに、私はこの制度に反対です。この制度はいくつか副作用を出していますが、一つは任期4年目あたりから、ほぼ「レームダック化」することです。忠臣のように振る舞っていた人たちが、どうせこの人ももうすぐ辞めるからと大統領から距離を取ります。結果、大統領の政府・与党などを統合する力は、大いに弱体化されます。前職大統領が始めた政策はほぼ「なかったこと」にされる可能性が高いですが、5年でちゃんと結果が出せる政策はそうありません。政権交代になったらもう言うまでもなく、前政権の全否定が始まります。前職大統領が捜査を受けることは珍しくもなく、逮捕されるケースもあります。政権交代にならなくても、もし現職大統領と与党側の次の大統領候補の仲が悪い場合は、もっとひどい結果になったりします。韓国ではこういうのを「親○」「非○」と言います。たとえば、尹大統領と親しい人たちは「親尹」、そうでない人たちは「非尹」となります。

2016年〜2017年、朴槿恵《パククネ》大統領が弾劾されたとき、朴氏の味方をしていた「親朴」派の国会議員たちが、朴大統領を切り捨てようとする非朴派の議員たちから非難され、ほとんど政治家としての力を失ったりしました。そんな経緯もあり、「親○・非○」たる各政党の内部分断は、さらに強くなっています。日本でも派閥という言葉がありますが、こちらはさらに露骨で、○氏が大統領または党代表になれば、非○は差別されて当然、そうしないと代表が非難される、そんな雰囲気になっています。

でも、そのようにスクラムを組んで○氏が大統領になったとしても、5年で終わり。ですから、国民からすると「人」を支持するのは、ほぼ意味をなさなくなりました。5年で終わる人ではなく、「政党（右派か、左派か）」への支持がものを言うようになったのも、ある意味では自然な流れかもしれません。どれだけその政党の象徴になれるか、どれだけ右か左かをハッキリ示せるか、それが「人」に対する判断基準です。右左といっても、事実上、右は現与党「国民の力」、左は最大野党「共に民主党」しかないので、左右へのこだわりは、そのまま政党へのこだわりになりました。

## ●日本は「非民主国家」という決めつけ

こんな有り様ですので、どんな政策を出しても「右か左か」「どの政党の案なのか」が優先されます。そして、それは中道派の人たちがどう動くかによって、すぐにでも政権交代できる環境をつくり出しました。いわば「社会全体を10だとして、右4対左4で分断されていて、残り2の浮動票の動きで政権交代しやすい」ものであり、ちょっと言い方を変えれば「不安定なだけ」です。「負けた側の4の人たちは、決して選挙結果を認めない」からです。「成熟していない」と書いたほうがいいかもしれません。韓国では、こういうのを「韓国人に変えられないものはない」と分析します。

２０１６年、朴槿恵大統領を弾劾に追い込んだいわゆる「ろうそくデモ」も、民主革命だと評価します。当時、日本では「で、朴大統領は詳しくどんな罪名なのか」が話題になりましたし、私も『朴槿恵と亡国の民』という本を書いたりしましたが……韓国では「日本が韓国の力に嫉妬しているだけ」とされました。この頃から「韓国人に変えられないものはない」というフレーズが定説になり、ろうそくデモは革命という名で教科書に載ることも検討されています。余談ですが、当時、米国など欧米の自由民主主義国家からも、これは何かおかしいという指摘が相次ぎました。その後、米国も政治面で大きな不安を経験し、議会にデモ隊が入るなど人のことを言えない状態になりましたが。最近の韓国や米国を見ていると、本当に「ツーパーティーシステム（二大政党制）」というのが民主主義の役に立っているのかどうか、疑問に思うこともあります。日本のように「自民党以外代案がない」と言われるのもどうかと思いますが、やはり三党制はほしいところです。

「韓国人に変えられないものはない」とは逆に、韓国では日本人のことを「『しょうがない』とすぐ諦める民族」だとします。対比が欲しかったのでしょうか。この話、どこから出てきたのかはよく分かりませんが、いまは日本人のイメージとして定着しています。韓国では、第二次安倍内閣の頃から、「韓国を非難するのは一部の嫌韓政治家だけで（普通にこういう表現がメディアの記事、放送で使われたりします）、普通の日本国民は韓国が大好きで仕方がない」というのが定説になっています。

ですが、基本的に韓国で極右とされる安倍政権がずっと続きましたし、総理が変わっても、日本に大した変化はありませんでした。そこで一部のメディアがしびれを切らし、「日本は政権交代もできない非民主国家」、「日本人はしょうがないとすぐ諦めるから民主主義にふさわしくない」などと言い出すようになりました。ずいぶん前から、韓国では、

「朝鮮が日本に併合されたのは、朝鮮が無能だったからではなく、日本人は剣で言うことを聞かせる民族で、韓国（朝鮮）人は文で相手を感化させる民族だから」というパターンの言い訳が定説のようになっていました。「日本は民主主義ではない」とする主張も、このような話を掘り返したものにすぎないでしょう。これがろうそくデモを経て、一気にネットで広がったのが、「『しょうがない』民族」という決めつけです。

ちなみに、韓国は「自主」「主体」という言葉にとてもコンプレックスを持っています。なにもかもすごい民族だったという歴史観を信じる人が多いのですが、人類史に韓国民族（朝鮮民族）が主体的に残した歴史はそうないからです。遵法《じゅんぽう》精神が低いのも一つの現れだったりします（社会的に、法律は身分の高い人たちが決めたもので、自分は法をつくった主体ではないので、法を守るのは「おもねることだ」とする考えが強い）。それに、日本が目指すものは武でも文でもなく、「道」であると私は思っています。いまは韓国もテコンドー（跆拳道）、ダド（茶道）、コムド（剣道）など、ものごとに「道」を付けていますが、この表現は日本から入ってきたものです。テコンドーも、もともとは「テッキョン（택견）」という、いまのものとはまったく異なる武術でした。ユーチューブなどに動画が残っています。強いて武や文などの字を使うなら、文武両道になるのでしょうけれど、文

武両道という言葉、韓国にもあるにはありますが（多分こちらも日本から入ってきたもの）、実際の生活で耳にすることはほとんどありません。政権交代がないというのも、日本の場合は難しいことを考えるまでもなく、「2009年に変えてみたけど、それから3年間メッチャ火傷《やけど》したので、いまのところ論外状態」なだけではないでしょうか。

## ●対立を深める「陣営論理」

いつ政権交代されるか分からないというのは、「左派と右派」の対立が凄まじいという意味でもあります。こちらもまた、悪魔化が当たり前のようになっています。韓国では政権交代になると「前の政権を全否定すること」が、支持者たちへの美徳とされます。悪魔がやったことを破棄するわけですから。前職大統領の不幸な最期が多いのも、それが一因です。韓国では、こういうのを「陣営論理」とも言います。保守思想、韓国では現与党「国民の力」を支持する人たちは、無条件でその陣営の言うことに同調します。その対極にある思想、他の国では一般的にリベラル思想と言いますが、韓国では進歩思想、左派思想と言います。こちらはいくつかの政党がありますが、基本的に最大野党は「共に民主党」になります。そのどちらが社会で影響力を発揮するのか、党員の数でわかるという主張があります。

日本の場合、全体で見ると、前の政権交代（民主党政権）への失望もあって、ほぼ自民党一強時代が続いています。でも、その自民党でも、党員の数は110万人くらいです。これでも、他の国よりは多いほうで、イギリスやドイツの場合、党員の数は全政党を合わせても100万人くらいです。しかし、韓国の場合、共に民主党の党員が約485万人、国民の力の党員が約407万人とされています。韓国の全政党の党員数は1042万人に上ります。

全北大学校新聞放送学科のカン・ジュンマン教授は、東亜日報系列のメディア『新東亜』への寄稿文（2023年10月5日）で、国民5人のうちの1人が党員になっているのが現状だとし、「自分が党員なのかよく覚えていない（関心をなくしている）」党員もいるとしつつも、一方で党への忠誠を示すため各種公職候補者が「買収」した党員、大統領候補者など特定の「ファンダム（熱心なファンおよびそのコミュニティー）」が集中する人の反対勢力を党内から追い出すために党員になった人たち、言い換えれば「党を支配しようとする党員」たちも多いと指摘しています。そして教授は、「彼らは、韓国的な処世術にとても優れた人たちだ」と皮肉ります。「とりあえず特定政党の党員になり、政党の権力を掌握するために励むのは『保険』として価値がある。全国のほとんどの地域で、自営業者や建設業者が政治的カルテルのネットワークに入らなければ、随意契約などできないというのが、もはや常識である」からです。こうしたシステムが社会の陣営論理を育て、「事実（真実）といえども、私たちの正義より上に立つ道理はない」と叫ぶ社会が出来上がってしまったこと。しかもこれが、国民をほぼ二分（右派支持と左派支持がほぼ同じ）し、大韓民国を「大韓陣国」に、国民を「陣民」にしてしまったことなど。非常に読み応えのある寄稿文でした。

## ●「反日」の嘆かわしい実態

外交路線だって同じです。5年間親北（および親中）だったのに、政権が変わると急に親米政策、日本との関係改善などを強調したりします。そして、政権を支持する国民、いや「陣民」たちは、何の躊躇いもなく「そうだそうだ」と叫びます。その政権を支持しない人たちは、無条件で「売国奴だ」「親日派だ」と叫びます。もはや日本がどうなのかといった「事実（真実）」はどうでもいい。韓国の反日思想が事実に基づいたものなのかどうかは、彼ら両方にとってはどうでもいいのです。

まだ韓国の民主主義が独裁者とも言える保守派大統領によって厳しく制限されていた頃、民主化運動に参加した運動家たちが、現在の左派思想の中心となっています。運動家だった頃、同じく軍事政権を敵視する北朝鮮側の勢力と接触し、彼らの民主主義はいつの間にか民族主義思想を優先するようになりました。そして、同じ民族である北朝鮮の思想、たとえば金日成《キムイルソン》崇拝思想である「主体思想《チュチェ》」などにハマる人たちが続出しました。いまも左派側には親北思想が強く、「人が生まれてから死ぬまですべて政府が責任を取るべきだ」「雇用主は悪、労働者こそ善」など、どことなく社会主義のような政策を主張する重鎮《じゅうちん》が健在です。

政権交代による国内・国外政策の急激な路線変更は、韓国内でも「外国から見たら、右でも左でもなく、ただ韓国という国を信頼できなくなるだけだ」と、国家レベルで重要な政策にまで影響するという指摘が出ています。最近、韓国政府および与党は、よく「私たちはもう事実上のG８」という表現をよく使います。最近は「心理的にG８」という、さらによく分からないフレーズが有名になっています。外交部長官（外相）がG７各国の大使を集めて、「G8（韓国のG8入り）のために」と乾杯したこともあります。ただ、実際にG7でそんな議論がされたことはなく、専門家やメディアの中には、冷静な分析を出す人もいます。その冷静な分析の一つが「信頼」に関する指摘です。「国力を考えるまでもなく、G7（G8など枠が拡大されるとしても）というのは自由民主主義陣営のグループなのに、韓国の場合は『政権交代による外交路線の急な変更』が激しすぎて、信頼されていない側面がある」（『韓国日報』2023年5月16日）というのです。

韓国で反共（反・共産主義）思想が強すぎたときにも、逆に「親北」思想が強いときにも、反日思想が強い時期にも、逆に表面的には静かになったように見える時期にも、日本にとって「コリアリスク」は常に存在してきました。一つ一つ取り上げるときりがないでしょうけれど、そのリスクの中でも日米韓協力など外交面で特に厄介なのが、この政権交代、各政権の〝急な変節〟です。断言できますが、韓国が「親日」国家になることは絶対にありません。また、それが正しい日韓関係だとも言い切れません。韓国が日本に対して、法律的・現実的な側面ではなく、道徳的（被害者意識）・感情的な側面で日本を見下したりしながら、「これこそ正しいこと、これこそがあるべき両国関係だ」と主張することは、前からよくあります。これは日本からすると、明らかな反日のゴリ押しであり、正しい関係ではありません。日本国内でもこういうデタラメな意見に同意する人もいるので、困ったものではありますが。一方、韓国で生まれ育った人たちは、先ほどの韓国社会の日本観について、「これこそがあるべき関係だから、どちらかといえばこれが中立」としか思っていません。だから韓国側の人の中には、「韓国は反日ではない」と本気で信じている人も少なくありません。

## ●韓国の「親日」は危険

なにせ韓国は憲法前文で抗日集団であった「臨時政府」を国家の正統性（「嫡流《ちゃくりゅう》」のように正当とされる権利などの名分のこと）としていますが、臨時政府が国際的に承認されたことなど一度もなく、日本と戦って独立を勝ち取ったという世界観そのものが創作なので、韓国が韓国として存在するかぎり、韓国の日本観が根本的に変わることはありません。そもそも大韓民国という名は、臨時政府の国号（国名）でした。韓国で生まれ育つ人たちの中にも、この歴史観を否定する人たちはいますが、彼らが社会の主流勢力になれるとは思えません。だから、日本は韓国に「親日になれ」と言う必要はありません。言っても無駄だし、むしろ韓国が「そうだよ、ボクは今日から親日だよ」と嘘をつきながら日本側に近づいてきたら、そのほうが厄介です。どうせ謝罪と賠償がどうとか、今度こそ終わりにするからとか、そんな話でしょう。日本が「引っ越せない」限り、米軍との関係や地政学的な問題もあり、韓国との外交関係は維持する必要はあります。よく外交断絶などの主張も耳にしますし、それも（私とは考えが異なっても）意見の一つとして十分納得できます。でも、外交断絶なら日本が先に言うと、日本が悪者になってしまうでしょう。韓国に「言わせる（韓国のほうが先に外交断絶を言い出す）」なら、外交戦略として日本が優位になれるでしょうけれど。

もう少し一般論的な書き方をしますと、国でも人でも、付き合うには「あの人（国）はどういう人なのか」を知り合う必要があります。良いのか悪いのか、親か反かを論ずる前に、ある程度は「相手がどうであるか（その一貫した価値観）」を知る必要があるわけです。それが分からない相手、次に何をするか分からない相手は、リスクそのものです。これは個人的な持論ですが、ある関係において悪とは、悪いことばかりするという意味ではありません。ある人にはそれが悪いことに見えても、別の人にはそう見えないことだってあるかもしれません。本当に悪なのは、「基準のない存在」です。自分勝手で、次に何をするか分からないリスクのことです。いまの韓国の政権交代というのが、まさにその悪そのものです。最近のように国際情勢が急激に動き、世界が「組分け」を強いられている中では、特にそうです。日本としては日米韓関係などを考えつつ、「断絶」「親韓」「反韓」のいずれも下手に選ばず、ある程度離れたところから観察する対韓外交を心がける必要があるでしょう。

## ●麻生太郎《あそうたろう》氏が指摘した韓国政界の本質

このような状態の韓国。岸田総理と尹大統領が関係改善に取り組んでからは、表面的には良好な雰囲気になっていますが、これはとても「高リスク」な考え方です。不幸中の幸い、日本側の記事を読んでみると「友好的な路線に見えても、韓国の大統領は支持率が下がると反日になる事例が多かった」とする警戒感が日本政界にあるようです。一例として、2023年10月13日に『ニュース1』など韓国の複数のメディアが報じている内容ですが、麻生太郎自民党副総裁が尹大統領と会った際、直接「韓国では政権が交代すると、前任大統領はほぼ殺されるか、逮捕される。隣国としては、どう付き合えばいいのかわからない」と話した、というのです。正論です。悪いことばかりする人より、次に何をするか分からない人のほうがもっと厄介です。事前に対策を立てることが難しくなるからです。これは同月12日、政財界の人たちで行われた「韓日協力委員会国会議員懇談会総会」での発言で、2022年と2023年、面談した尹大統領に「政権交代で韓日関係が揺れ動かされてはならない」「韓国の歴代大統領たちは5年の任期を終えれば、亡くなったり逮捕される」、「これでは隣国として、どうやって付き合えばいいというのか」など伝えたといいます。

もちろん韓国メディアは、こういう話を「妄言だ」とします。『ニュース1』も「麻生太郎副総裁は、前にも『中国や韓国も処理水を海に放流している』など妄言をしたことがある」と報じています。麻生副総裁の場合、たしかにいくつかの発言が話題になったりしましたが、「歴代大統領が死ぬか逮捕される」「処理水海洋放流は韓国中国もやっている(世界中の国がやっています)」は客観的事実のはずです。中には、同日の『京郷新聞』のように、「あまりにも急変する政権交代によって、両国関係も不安定に陥りやすいということだ」「政権交代の後の『報復』はたしかに問題がある」と普通の書き方をするメディアもありましたが、主な反応は「妄言だ」だけでした。

もし麻生副総裁のアドバイスの通り、尹大統領が何かの努力をしたとしても、この政権交代（の後の）問題が改善されるのでしょうか。現状、そうは思えません。政治家はともかく、支持層である有権者が、政権交代後の報復を待ち望んでいますから。表向きには「融合」とかそんな言葉ばかり強調されますが、相手側（右、左）に宥和的な態度を取って支持率の上がった大統領や成功した政治家など、見たことがありません。ただ、日本側にすでに、韓国の政権交代のリスクや尹大統領が支持率獲得のために任期後半にはいわゆる反日路線に走る可能性があることへの危機感、牽制が存在するのは、とても望ましいことです。なにせ私としては、尹政権そのものが「本当に日本との友好を望んでいるのか」からして疑問ですので。

## ●「反日政策への反対＝親日」ではない

陣営論理の最中、韓国では対日外交は「右派・左派を分ける踏み絵（自分が左右どちら側なのかを示す証拠）」とされています。「文大統領の対日外交路線を支持する人は左派で、支持しない人は右派だ」という社会的な基準が出来上がってしまいました。これは反日社会である韓国でも結構新しいパターンで、文大統領の任期中に本格化しました。最初は、朴槿恵大統領の弾劾の後、社会の雰囲気が収まるのを待っていた右派勢力が、「日本と現在のような関係を続けると、米国から見放されてしまう」という危機感を持つようになり、「文政権の対日外交は、反米政策である」とする古いテーマが掘り返されるようになりました。古くから韓国では、反米を唱えると共産主義者扱いされました。でも、反日ならいくら言っても大丈夫だったので、北朝鮮は韓国社会で反米より反日を扇動し、日米韓共助そのものを断とうとしている、と言われています。1960年代、当時金日成主席が「米韓同盟と日韓関係は、韓国という『ガッ（文官の帽子）』を固定する二本の紐であり、どちらか片方でも切ることができれば、韓国という帽子は（二本の紐を顎の下で結ぶ形で固定するので）風に吹き飛ばされる」と話したと言われており、「ガックン（ガッ帽子の紐）戦術」とも言います。

　当時、挽回を狙っていた右派勢力にとって、この「文在寅は親北共産主義者」という趣旨は大いに「ウケ」が良く、やがて文政権が日韓ＧＳＯＭＩＡ《ジーソミア》（秘密軍事情報保護協定）まで終了しようとすると、「やはりそうか！」ということで盛大に盛り上がりました。そして、当時の文政権がやっていた対日政策、一般的に対日強硬策とされていたものは、

「それらに賛成するのは共産主義者だ」という流れをつくり、賛成するのは左派、反対するのは右派という率直に「幼稚」な踏み絵がつくられました。

文政権の頃、日韓の一部のメディアから「韓国でもついに反日政策に反対する声が上がっている」という主張が目立つようになりましたが、それはあくまで政策に対する踏み絵的な何かであり、決して韓国の反日感情に変化があったわけではありません。よって、「大統領が任期中に反日するかどうか」は、そう重要な問題ではありません。前述しましたが、なにせ憲法レベルの問題でもあり、外交戦略が変わるように見えても、反日思想だけは変わらずに存在するわけです。社会各分野が極端な二分法に支配されている韓国でも、いい、これだけは右も左もありません。それでは、関係改善と騒がれている尹政権で国民の反日感情の何か変わったのか、日本メーカーのビール売上やアニメの興行、旅行需要が高くなっていることから何が変わったのか、その象徴的な実例を一つ紹介します。

## ●加害者「日本」と被害者「南北」

2019年頃、文大統領は「光復軍」というものを集中的に強調していました。韓国は併合時代を「違法統治」としており、自国政府が存在していたことをその根拠とします。それが、外国で活動していた臨時政府です。1919年3月1日の大規模抗議運動である「3・1運動」のときを「臨時政府設立日」とし、1919年から政府があったから併合時代は違法統治だ、とします。これだと1910年の日韓併合から9年ぐらいブランクがありますが、それについてはなぜか誰も何も言いません。後に韓国の初代大統領になる李《イ》承晩《スンマン》氏が臨時政府大統領でしたが、米国に朝鮮半島の委任統治を相談したことがばれて、弾劾され、金九《キムグ》主席が責任者となりました。ただ、韓国以外にこの歴史観に同調する国はありません。臨時政府は抗日組織だったかもしれませんが、決して政府ではなく、これは戦後の連合軍のスタンスを見てもわかります。余談ですが、北朝鮮も彼らが「始祖」とする金日成は臨時政府の所属ではなかったので、臨時政府を朝鮮半島の政府だったとは認めていません。これは戦後のいくつかの資料からも確認できますが、後でちょっとだけ自分なりの論拠を提示してみます。

その臨時政府が「正規軍」と主張しているのが、光復軍です。日本に総攻撃を仕掛けようとしていたけれど、戦争が終わってしまったので、チャンスを逃してしまった、ということになっています。これについてもツッコミどころ満載ですが、とりあえず話を進めましょう。文大統領は、反日を結果的には反米につなげる、もっと詳しくは「安保の領域において、北朝鮮と韓国の共通のアイデンティティーをつくる」戦術を展開しました。実は似たような試みが、前回の左派政権となる金大中《キムデジュン》・盧武鉉《ノムヒョン》政権（1998年〜2008年）でも、当時のネットの普及とともに大きな実績を残しました。今もそうですが、当時は軍事政権の直後ということもあって、中国（中共）とロシア（ソ連）、そして北朝鮮が一つのグループで、韓国、米国、そして日本が一つのグループであるという認識が強かった時代です。先ほど記したように韓国の右派勢力が「対日政策」を右か左かの踏み絵にしたのも、この考えのリバイバルです。

一方で左派政権は、日本の加害者としての側面（捏造ばかりですが）と韓国の民族主義（南北で同じ民族）的な側面をアピールし、「加害者日本と被害者南北」というグループ分けをつくり出しました。このグループ分けはネットを介して検証されないままに広がり、やがて政府の支援のもと反日市民団体が増えました。一部には「聞いたこともない『歴史専門家』が急にあっちこっちから現れた」と嘆く人もいましたが、彼らの反日歴史観は一気に広がり、数々の不正で自滅した軍事政権とともに、反共思想を弱体化させ、その分を反日思想で満たしました。

## ●わけの分からない「英雄化」

軍事政権にも反日思想がなかったわけではありません。ただ、反共思想が強すぎて「それでも、安保において現在の日本は味方」という考えが強調されていました。その制御が、一気に崩れたわけです。朴正熙大統領は、戦時の日本の士官学校出身で、臨時政府に関する部分を憲法前文から消したり、自分で起こした戒厳令による憲法改正を「維新憲法」と呼ぶなど、臨時政府という歴史観に否定的な人でした。しかし、それでもやはり世論が気になったのか、反日思想にはノータッチでした。これが、反共主義の「弱点」となったわけです。

ちなみに、憲法前文の臨時政府明記は1987年、民主化要求デモなどで追い込まれた全斗煥政権が市民団体などの要求を受け入れる形で、「3・1運動で建立された大韓民国臨時政府の法統……を受け継ぐ」として復活し、いまも変わっていません。法統とは、高麗大学韓国語大辞典によると「正統性を正しく受け継ぐ」という意味です。

この実績を、日米韓協力の根幹である「安保」の領域でもう一度炎上させようとしたのが文在寅大統領です。そこで始まったのが、「北朝鮮側の共産主義関係者でも、1945

年以前に抗日独立運動をやったなら、その人は英雄になれるし、国家有功者として待遇すべきだ」という主張です。そこには必ず「なぜなら、彼らが活躍した抗日独立運動こそが、現在の韓国軍のルーツであるからだ」という話がセットになっていました。最初に文大統領が大々的に取り上げたのは、光復軍の司令官とされた金元鳳《キムウォンボン》という人物です。右派が「死んでもそれは嫌だ」と猛反発したことで結構長引きました。主に2018年～2019年あたりのことです。この件、最初は世論も「いいねいいね」でした。

ですが、あまり時間を待たず、当時の与党（現野党「共に民主党」）内でも「いくらなんでも金元鳳はまずい」という声が出るようになりました。彼は戦後、北朝鮮に渡った人で、朝鮮戦争にも関わっていたとされていたためです。抗日運動においても、出てくる資料は大したものはなく、「外国人が書いた本に、日本がキム・ウォンボンをすごく怖がっていたと書いてある！」ということになっています。たしかに米国人ジャーナリスト、ニム・ウェールズが書いた『アリラン』という本に、キム・ウォンボンのことでこんな話が出てきます。「己未年（1919年）以降、親日派と日本官憲、日本の帝国主義者が最大の攻撃の対象であり、私のような20代前後の若者たちには、祖国解放の象徴的存在であった」。しかし、これはニム・ウェールズが中国で出会ったキム・サンという朝鮮人から聞いた話をそのまま記したものです。キム・サンもまた、独立運動家ではあったけれど、共産主義者でした。

そもそも光復軍というのは事実上、中国軍の傘下にあった部隊で、それ自体を「軍」と呼べるのかが疑問ですが、そういう部分についての議論はあまり行われず、とにかく「共産主義勢力との関係」が集中的に議論され、結局、文大統領が一歩下がることになりました。他はともかく、朝鮮戦争に関わっていた（ソ連側に許可を得るために訪問するなど、結構重要な役割を果たしたと言われています）ことが大きかったからです。ただ、その後にキム・ウォンボンではなく別の人たち、北朝鮮側とされるけどキム・ウォンボンほど「北朝鮮への貢献がはっきりしない」人たちを英雄に祭り上げる動きが始まりました。

その中の代表的な人物が、２０２３年現在も問題になっている洪範図（カタカナ表記だとホン・ボンド、またはホン・ボムドになります）です。２０１９年の記事をいくつか見てみると、「キム・ウォンボン以外にも大勢の英雄がいた！」といった内容が目立ちますが、そのほとんどは私は聞いたこともない人物ばかりです。たとえば、２０１９年4月19日の『ＹＴＮ』の記事を見てみると、何人か載っていますが、全員初耳です。「ホン・ボンドの指揮で日本相手に何度も大勝利したことがある。遺体はまだ外国にある。もっともっと記念事業を広げるべきだ。ちなみに私（YTN出演者）はホン・ボンド記念事業会の理事長であります」といったところです。ですが、実は彼はソ連共産党所属で部隊を指揮していました。文大統領は、彼を積極的にアピールし、「私たちの軍のルーツの一人である」と話したこともあります。そして2018年、陸軍士官学校などに彼を含めて「英雄」とされた人たちの胸像が設置されました。

## ●尹政権下で進む李承晩初代大統領の英雄化

米韓同盟を強調したい尹大統領および保守側にとっては、この「軍のルーツ」は気になる案件です。国防部長官候補者であるシン・ウォンシキ氏から「2017年8月28日国防部の業務報告の際、文在寅当時大統領は、『独立軍を軍のルーツにできるよう、教育内容を改編せよ』と指示した」という告発が出て、話題になったりしました。そして、ロシアによるウクライナ侵攻などもあって、2023年8月31日、士官学校からホン・ボンドの胸像を移転することになりました。しかし、これはまた大きな議論になりました。『KBS』の世論調査結果によると、移転反対が63・7％。これは「胸像移転」という一つの案件に対するものなので、これですべてを判断することはできないかもしれませんが、文大統領が残した「共産主義側でも英雄は英雄で、軍のルーツもそこにある」という認識は、相応の効果を発揮し、いまでも支持されていると言えるでしょう。ちなみに、以下がその記事です。

〈ＫＢＳは秋夕（※旧暦のお盆）を迎え、各種懸案について世論調査を実施しました。国防部は、洪範島将軍の業績とは別に、ソ連共産党の履歴などを理由に、陸軍士官学校にある胸像を移転する方針です。これについて聞いてみましたが。「同意しない」が63・7％、「同意する」という回答が26・1％でした……先月から始まった、日本政府の海洋放流が人体や環境に及ぼす影響についてどう思うか尋ねましたが、「人体と環境に影響を及ぼすのではないかと懸念される」という回答が71・2％、「科学的に検証された手続きを経ているため、懸念されない」という回答が27・0％でした〉

抗日運動したという話しか伝えられていない人の胸像移転、しかも前政権の見え見えの政治工作に63・7％の人がひっかかっている。これだけでも妙な話ですが、話はここで終わりではありません。尹政権でも似たようなことをしています。今回の英雄化は、反日で有名な初代大統領・李承晩です。「米韓同盟のルーツをつくった人」として、2023年10月頃からその英雄化作業の話題が各メディアに取り上げられるようになっています。尹大統領も保守派とされますが、韓国の保守派は、李承晩初代大統領を国父とします。百歩譲って、保守側の象徴的な人物を1人選べというなら、経済成長という結果を残した分だけ朴正熙大統領ではないでしょうか。彼もまた、独裁者としての側面が強すぎるので微妙ではありますが、大勢の韓国人が彼の政権で経済発展の基盤を手に入れたのは事実です。なぜ李承晩氏がここまで高く評価されるのか、個人的には本当にわけが分かりません。李承晩大統領を下野させた1960年の大規模デモ、韓国で言う「419義挙」は、憲法前文にも書いてあるのに、保守からはいまだに国父とされる矛盾。ある意味、このネジレこそが、右も左もなく、自分側の陣営の人を美化するだけの韓国現代史を象徴しているとも言えるでしょう。

その李承晩氏の英雄化作業が、ますます強化されています。一応ドキュメンタリー映画のようなものなので話題になっているとは言い難いですが『奇跡の始まり』という彼の業績を記した映画が上映され、記念館もソウルに新しく建設されることになりました。大統領も500万ウォンを寄付し、韓国大統領室は「国民の一人として李承晩大統領記念館建設の成功を応援する」とする尹大統領のコメントを伝えながら「李承晩大統領は世界を舞台に自由民主主義国家をつくるための建国運動を行った」「李承晩大統領が成し遂げた市場経済体制と韓米同盟は大韓民国発展の礎《いしずえ》となった」とも話しました。現在、記念館建立キャンペーンは李承晩大統領記念財団やキリスト教会を中心に行われています。地方都市に記念館があるにはありますが、地域メディアによると「ガラスが割れたまま誰もいない」とのことでして。

臨時政府を国家の母体としている韓国ですが、李承晩氏はその臨時政府の初代大統領でした。亡命政府だけど政府だから大統領が必要だ、ということで選出されたそうです。でも、1919年に国際連盟が創設される動きに合わせて国際社会（事実上、米国）に朝鮮半島の委任統治を頼もうとしたこと（米大統領への請願書など）が明らかになり、1925年に臨時政府から弾劾されます。朴槿恵大統領の弾劾が有名ですが、国がまだ出来てもいないのに、勝手に政府を決めて大統領を決めて、挙句に弾劾までしていたわけです。当時、李承晩氏は米国にいましたが、弾劾を受け入れたものの、米国などから集めた資金を臨時政府に送らず、自分で使うことにしたと言われています。

それからのことは、もう説明の必要はないでしょう。戦後、3年間の軍政を経て、1948年に初代大統領を決める総選挙が行われましたが、まさに血の雨が降る殺し合いの結果、李承晩氏が初代大統領になりました。その後、最大のライバルとされていた金九《キムグ》氏は暗殺されます。彼は、李承晩氏が追い出されてから臨時政府の主席をやっていた人です。李承晩政権は、戦後から朝鮮戦争までの期間、国際情勢をまったく把握できず、朝鮮戦争では国軍が勝利しているという放送を流し、自分だけ逃走。朝鮮戦争では何もできなかったのに「このまま統一すべきだ」と主張して連合軍を呆れさせ、休戦協定にも参加しませんでした。

韓国では「韓米同盟をつくった人」とされますが、朝鮮戦争後の復興もまったく進まず、米国は「支援したものはいったいどこへ行ったのか」と疑問を抱くようになり、米韓関係は思わしくない状態になりました。それから三選を目指す大統領選挙で、大規模な不正が明らかになりデモが発生しました。そのときも、米国側は李承晩政権を守るために何もしませんでした。その大規模デモ、いわゆる「419義挙」は憲法前文にも記されています。これが憲法前文に記されるほどのことなのかどうかはともかく、憲法前文に記された行動によって国外へ逃げ出した大統領を国父としながら、記念館に現職大統領が寄付する状態。

いつものことですが、わけが分かりません。

## ●反日であれば真実などどうでもいい

このように、左派が掲げた「英雄」も右派が掲げた「英雄」も、どちらも反日思想の人物だということ。これこそが、韓国の反日が絶対に変わらぬ象徴であり論拠です。しかも、そのどちらも本当に韓国のためになにか成し遂げた実績があるのかというと、個人的にはパッとしません。韓国内の話だから韓国基準で測るとしても、それでも微妙すぎます。ホン・ボンドは、ロシア軍の命令で独立運動をやっていた朝鮮人部隊を殲滅《せんめつ》したという話もあるし、李承晩も1912年にはワシントン・ポストとのインタビューで「日本との併合により、私たちはやっと豊かになれた」と、韓国社会の基準だと「言ってはならないこと」を言ったという主張もあります。なんでこういうわけの分からない人物たちの英雄化が進んでいるのか。いろいろ理由はあるでしょうけれど、なにより臨時政府や光復軍などを韓国の母体だとする歴史観そのものが、日本による統治（併合）を違法なものにするための創作にすぎないことが、もっとも大きいのではないでしょうか。

サンプル検査ではあるものの、韓国の独立有功者の約４割は偽物だという記事（２００５年６月24日の『ハンギョレ21』）もあります。経歴が疑わしい光復軍55人の内部文書や会議議事録などを調べてみた結果、その中の44人には功績と呼べるものが何もなく、終戦してから６日後に入隊した人もいた、とのことでして。しかも、「全斗煥政権当時、政府は独立有功者の中に偽物が多いという陳情書の件で１００人を調べたところ、40人が偽物だった」「独立有功者賞初期の１９６０年代に『白紙（書けば無条件ＯＫの申し込み用紙）が出回ったことがある』ということは、独立有功者たちの間では公然の秘密だ」など、なかなか面白い内容の記事です。でも、この記事が何か社会的な影響を及ぼしたのかと言いますと、そんなことはなく、いわば「スルー」されました。

それから約１年４か月後の２００６年10月、国会で「光復軍の数がおかしい」という指摘がありました。今回は保守側からで、ハンナラ党（現在「国民の力」）のキム・ヤンス議員とコ・ジンファ議員が国家報勲処などの資料を分析したところ、併合時代に何かの功績があるとして大統領表彰を受け、独立有功者になった人の中に「偽物」が多いとし、１９４５年４月まで光復軍の規模は３３９人だったと記録が残っているのに、いままで光復軍だったと認められ叙勲を受けた人は５６０人に上る、と主張しました。

韓国で独立有功者として認められるためには、相応の叙勲（勲章、褒賞を受けること）を受けないといけません。ただ、多くの場合、独立運動にどんな功績があったかを「自分の功績を自分で書く」ものが多く、特に光復軍の場合、独立有功者に選ばれた人が知り合いを連れてきて「この人も私の戦友だった」と証言すると、その人も独立有功者に選ばれるシステムでした。韓国では臨時政府が公式政府で、光復軍はその正規軍という設定ですが、記録に残っている光復軍の数字は、どの記録でも500人を超えません。しかも、その一部は中国人です。とはいえ、ここまで指摘されているにもかかわらず、真実より「設定」が重要だからか、これといった変化は何もありませんでした。これが左派と右派が徹底して英雄として取り上げようとする、抗日運動、臨時政府などの実態です。

このように政権交代ですべてがひっくり返るリスクはもちろんのこと、反日思想に関わる考え方は、もう韓国そのものと一体化しており、取り外すこともできないし、外部・内部からの指摘や分析でも変えることができません。真実ごときが、反日設定に勝てるはずがないのです。

## ●日韓関係は韓米関係格上げの材料でしかない

日韓関係改善といっても韓国の保守派（尹大統領も含めて）が望んでいるのは、それを名分としての韓米同盟の格上げです。現状、日韓関係改善は事実上の「日米韓3国関係改善のための下位概念」としての枠から抜け出せないでいます。これは韓国内でも同じで、「日韓関係改善といっても、ほしいのは日米韓改善ではないか。それにしては、米国のスタンスが相変わらず日本優先なのはなぜか」といった主張が出ています。ちょっといじわるな書き方をしますと、「日本と関係改善してあ̇げ̇たのに、なんで米国は韓国より日本との同盟を重視するのか」という話です。これは『朝鮮日報』など右派支持のメディアからもよく記事になります。

「本当に日米韓協力がほしいなら、米国は韓米同盟を日米同盟と同じレベルとして扱うべきだ」「米国は韓国に対しても、日本やオーストラリアと同じ待遇をすべき」「韓国は米国との関係のために中国との関係を切り捨て、多くの損をした。米国はその分を考えるべきだ」などの記述で現れます。米国が日本の敵基地攻撃能力、反撃能力、国連常任理事国入りを公開的に支持し、防衛産業や半導体などでも協力を広げ、特にトマホークミサイルを日本に販売したこと（日本への販売が承認されるまで、トマホークミサイルはイギリス以外の国への販売が承認されていませんでした）などで、こうした「韓国優待主張」はさらに強くなる見込みです。こういう認識もまた、「やはり日韓関係改善など必要ない」という流れを促すリスクの一つと言えるでしょう。

# 最終章　日本の希望

## ●日本に帰化して感じた「妙な感覚」

本書は「絶望」と「希望」という単語を取り扱っています。本書を手に取ってくださった読者の皆さん、ここまでお読みくださったダーク耐性抜群の皆さん、もしかして本書の題を見て「これじゃ、まるで日本も絶望寸前だという意味になるじゃないか」と思われた方、おられませんか。私は出版社との打ち合わせで本書の題が草案として出たとき、ついそう思ってしまいました。

今年6月、伊勢神宮にお礼参りしてきて、そこで感じた妙な「感覚」についてあれこれ考えていた頃のことです。日本に帰化して、少なくとも三か所には報告に行かないといけないと思いました。前著『韓国人として生まれ、日本人として生きる』のメインテーマでしたが、まず韓国に行って親の墓及び家族への報告。伏見稲荷大社へのお礼参り。そして神宮（伊勢神宮）参りです。住んでいる家の近くに稲荷神社があって、養子縁組のような縁だと思い（「赤ちゃん輸出」のようなビジネス的な文脈ではなく、良い意味での縁）、宇《う》迦之御魂大神《かのみたまのおおかみ》を崇拝神と祀っております。神宮には「日本人になりました」とご報告、というか当然のご挨拶としてお参りしなければと思いました。

神宮の内宮、外宮の正宮（天照大御神《あまてらすおおみかみ》、豊受大御神《とようけのおおみかみ》）は、感謝する心をお伝えするものであり、個人的なお願い事はするものではないと聞いています。世の中に多くの信仰・宗教関連施設がありますが、「個人的なお願い事は言わない」というルールのところって、他にもあるのでしょうか。いろいろ新鮮で心地よく、お参りし、まわりの商店街も楽しむことができました。

韓国にも5月のゴールデンウィークが終わった後に行き、墓参りや家族への挨拶、銀行での手続き（韓国にある資産を日本へ送金）などで1週間以上も過ごしました。それから羽田空港に帰ってきたとき、「どうも」「すみません」「ありがとうございます」などの言葉、誰かが誰かに伝える感謝の気持ちの言葉が耳に入り、不思議なほど心地がよかったことをいまでも覚えています。伊勢神宮でも、似たようなことを感じました。「どうも」とか「すみません」とか、もちろん日本に住んでいるとそういう言葉はどこにいても耳に入ってきますし、私が言ったり、そして誰かが私に言ったりもしますが、伊勢神宮内では耳にそんな言葉が入ってきたわけでもないのに、似たような感覚になって、ボーッと座っていたりしました。いま思えば、同じ感覚になっていて当然です。なぜなら、声には出さなかったものの、私が「ありがとうございます」と神様に申し上げたからです。きっと神宮にいた皆さんも同じでしょう。言われて心地いいものは、言っても心地いいものです。当然です。

数か月前、長かった猛暑がやっと少しは収まるようになった頃のことです。扶桑社の方々との打ち合わせ及びEメールのやり取りで、本書のタイトルについて『韓国の絶望日本の希望』という仮案が出ました。私も最初は「これじゃ、まるで日本も絶望ギリギリのラインに立っているというニュアンスではないか」と、ちょっと気になりました。希望は肯定的な言葉の代名詞ではありますが、そもそも「希」というのが、まれ（希少、など）という意味でもありますから。実はこれ、私がシンシアリーという名でブログや本を書きながら、いつも気をつけている部分でもあります。少しでも日本について何かネガティブなことを書くと、一部の人たちによって「シンシアリーですらこんなことを言っている。日本はもうダメだ」という風に利用されるからです。ちょっとした経験もあります。ネガティブでもなんでもなく、ちょっとした違和感の話でしたが、その「一部の人たち」にとっては、元になる文章の前後の流れがどうなのかなど、どうでもよかったようです。他にもシンシアリーは北朝鮮のスパイだとか日本人が韓国人のふりをしているとか散々言われてきたし、最近は統一教会信者だと言われたこともありますが、そのような「根拠なき非難」ならまだ笑い飛ばせます。でも、利用されることだけはまっぴらごめんです。

## ●日本はまだ分断を食い止められる

ネットで非難されたり利用されたりして、それで「日本」に何かダメージが入るとは思えません。そもそも私にはそれほどの影響力はないので、影響ゼロでしょう。でも、力があるかないかの問題ではありません。それに万が一にも、一部とはいえ韓国側のメディアが同じことをするなら、それはもう本当に自分が許せなくなるでしょう。需要があるのかないのかは分かりませんが、韓国の地上波メディアは、私の本をニュース番組などで取り上げることがあります。

２０２３年7月30日、日本でいうとＮＨＫのような立場の『ＫＢＳ』という放送局が、私の本『韓国人として生まれ、日本人として生きる』をニュース番組で取り上げました。その本には、「車が停止線を守らないなどの『物理的』な部分は、規則や自分・他人の領域をちゃんと守らなくてもいいと思う『心理』の現れだ」という内容がありますが、『ＫＢＳ』は物理的な車の停止線の話ばかりをメインとしました。『ＫＢＳ』の報道内容は、

「個人の経験ですべてを語るのはどうか」「こんな本がベストセラーになる日本という社会を理解することができない」「せっかく日韓関係が改善したのにこれはどういうことだ」などと報じました。その理屈だと、持論を展開できる個人はどれくらい残るのか疑問ですが……そこはともかくとして、もし韓国メディアの記者が私が日本の問題点（のような何か）を書いたことを取り上げ、ネット掲示板と同水準で「親日派のシンシアリーでもこんなことを言っている」とするならば、もう嫌すぎて考えたくもありません。

まさかとは思いますが、ありえないとも言えないので、利用されるくらいならそんなテーマは何も書かないことにしよう、と結構前から決めています。私は日本を、何の問題も存在しない地上の楽園だとは思っていません。しかし、それは人間が住んでいて、私が人間である以上当たり前のことだし、そもそも問題があるとしても、そこまで書く分量もありません。なにせ日本に住んで数年しか経っていません。数十年住んだ韓国の問題点ならともかく、日本の問題について書けるだけの経験もありません。それに普通、日本のように社会インフラがちゃんとしている国で、新入り外国人が感じる問題点って、ただ「慣れていないだけ」でしょう。問題ではなく、「いままでと制度が異なるだけ」です。だから、「日本の希望」というと、どことなく日本も問題だらけだと誤解される可能性があるので、

「これはちょっとどうかな」と思ったわけです。

「韓国の絶望」というのも、なんというかちょっと違う気がしました。「ヘル朝鮮（地獄のような韓国）」という言葉が韓国内でも定着していますが、だからって言い切ってしまう書き方で悪い気がしました。「おまえがそれを言うか」と言われると反論もできませんが、そう思ったのは事実です。私が韓国を離れて日本に移住し、こうして帰化して日本人になる人生を選んだのは、「韓国には絶望しかないから」ではありません。どちらかというと、日本の一部として生きることを「選んだ」結果が、いまの私の人生です。両方選べないからどちらか片方を選んだというのは、選ばなかった片方を全否定することにはなりません。同じく、選んだほうのすべてを全肯定するわけでもありません。私が選んだのは日本であり、その中で喜びと悲しみをともにするつもりであり、楽園を選んだ記憶もありませんが、選ばなかったほうを地獄だと言い切るつもりもありません。だから私はいつも本を書きながらも、「これは私の持論で、私は私に嘘をつかずに書く。でも、人によって、別の見方もまたありえる」というスタンスです。

でも、少し考えてみたら、いくつかの点において「いや、別にこの題、希望や絶望でもいいのでは」と思うようになりました。そう言えば、初めての本となる『韓国人による恥韓論』という題を聞いたときにも、「題がチカンだ」とちょっと驚きましたが、あのときもよく考えてみると、恥というのは日韓の価値観の比較においてとても適切な単語であるし、当時はまだ韓国関連書籍がそうなかったので、知（チ）と置き換えることもできます。これはいいかもと思って、そのまま本の題となりました。

余談ですが、「恥」というのは韓国では「他人によって与えられるもの（他人によって明かされないかぎり自分の中には恥は存在しない）」という認識であり、日本では「自分自身の中にあるもので、いずれ自分の内側から出てくるもの」という認識になっています。だから、なにか「恥」カテゴリーの出来事があった場合、韓国人はよく「なぜ私に恥をかかせるのか」と、まるで他人のせいのようなフレーズの慣用句を用います。

日本人は「他人に（自分が）迷惑をかけること」を一般的な恥の源とします。私は、日本の教育の中核とも言える「他人に迷惑かけるな」というのは、実は恥というものに対する教育、大袈裟に言うと武士道の現代バージョンだと思っています。よって当時、ちょうど良いキーワードになると思ったわけです。

そして今回もまた、別にこの題でいいや、と決めました。まず、私は日本を「絶望ギリギリ」の国だと思っていません。というか、令和5年に帰化した私がそんなこと思っているはずがないでしょう。「この場合、日本の希望がどうとかいうのは、日本への侮辱ではないのか」とされる誤解があるなら、「それは誤解です」と、ここでハッキリ申し上げます。希望は、問題がないという意味ではありません。ポジティブのためのネガティブが希望になることだってあります。ネガティブのためのポジティブが希望になることはないでしょうけど。日本には問題があるとしても、それを改善できる力を持っている、その土台は十分できている、という意味です。

絶望は、残念ながらそうではありません。まったくないというわけではありませんが、可能性があるとしても、どうしてもネガティブの中のポジティブで問題を解決しようとするから、ネガティブをネガティブとして見ようとしない。他人のせいにするから、絶望へつながるのです。それがある程度、深く、広くなって、社会単位で語られるようになると、それを立て直すのは容易ではありません。なぜそうなのか？　それは、分断されているからです。分断を経て、絶望が生まれたからです。

本書で書いてきた、嫌悪、悪魔化による「その場しのぎ」に頼り過ぎた結果出来上がってしまった、社会各分野での分断のことです。他集団を悪魔にすると安心できるかもしれませんが、自集団もまた同じやり方で崩れていきます。やがて個人と個人の関係も分断され、残るのは一人、自分自身だけでしょう。

## ●自分と異なるものが、あってもいい

そう、本書で言う希望と絶望は、「状況の一部」たる認識の有無だと言ってもいいでしょう。絶望は、自分または自分が属した集団を、かならず「全体」から隔離させます。いわば、様々な形での分断が「前提」になります。ある状況において、自分（自分が属した集団）だけが例外だとし、決して自分をその状況の一部として認識しません。それを賢明なこと、優越だとします。実はこれ、曖昧で恐縮ですが約10年ぐらい前から韓国社会で「幽体離脱話法」という言葉が流行語のようになっていることとも無関係ではないでしょう。韓国では、当事者または自分と関連した案件なのに、自分は何も関係なく他人のことだとしながら話すことを「幽体離脱話法」と言います。主に政治家向けに使われる表現ですが、社会全般において流行語のようになっている理由は、政治以外にもそんな話法が〝流行っている〟からではないでしょうか。

そして、私が「希望と絶望でもいいかな」と思った大きな理由は、実は「言葉」です。

羽田空港、日本に帰ってきた私を「おもてなし」してくれた、美しい言葉の数々。まるで神宮とも似たような感覚だったあの経験。人々が「分断」されているかどうかが、言葉で分かります。人々の生活の中で、分断は「～でなければならない」という義務の形で現れます。ゴリ押しを好みます。「自民族優越主義」など、当たり前のように優劣を強調する社会の雰囲気の中で、どんどん強くなります。とにかく比べます。比べなくてもいいのに何かと比べて、負けたと悔しがり、他人のせいにします。

しかし、希望はその反対です。状況の一部たる認識を持ち続けます。ある大きな状況の一部だとする認識を持っている人たちには、「～でなければならない」という言い方を好みません。「～でもいいのでは」と、もっと広い視野を持ちます。もっと大きな範囲を意識するため、「～でもいいのでは」と自分ではない誰かの権利を尊重します。もちろん、社会というか共通したルールからの極端な逸脱は許しません。自分だけの領域を大事にしながらも、大きな枠組みを傷つけるものでないなら、自分と対立するものでも「悔しいが、『あってもいい』」とします。その「あってもいい」という概念において、ゴリ押し、強制的な押し合いを何より嫌います。「～もあってもいい」とは思うけど、「あってもいいと思わなければならない」としつこく言われることを嫌います。もちろん、何でもいいというわけではありません。「大きな状況」の維持に必要なことなら、全体が自分の権利を削り、共通した目標を受け入れます。「和」や「絆」を強調する社会の雰囲気の中で、成長していきます。それは他でもない、街から聞こえてくる言葉から、真っ先に分かります。

## ●日本ではあまり耳にしない「四つの単語」

世界各国の社会学者・心理学者・医療関係者などが、怒りをテーマに研究を進めています。本書の初頭の部分でも触れましたが、韓国では「怒りが制御できない人たち」が社会問題とされていることもあって、韓国メディアの多くも、この怒りに関する海外の研究成果から自己啓発めいた内容まで、関連した多くの情報を取り上げています。2023年10月8日にも、韓国の地上波放送局『SBS』が、「抑え過ぎても問題だが、急に怒り出して解決できることなど何もない」としながら、そんなときに控えるべき、気をつけるべき「四つの単語」を紹介しました。それを聞いて、個人的に「あ、これってたしか……」と思うところがあり、それから自分で少し調べてみました。その四つの単語、韓国にいたとき、実に無数に耳にしたものですが、日本に来てからはほとんど聞いたことがないのです。

旅行が好きなので、人が大勢集まる駅やターミナルなどにも結構行くほうですが、ほとんど耳にしません。番組が情報ソースを明記してくれなかったので（番組の本題は別の論文の紹介で、この「四つの単語」は関連した話として出てきました）ちょっと時間がかかりましたが、たどり着いたのは、英国カウンセリング・心理療法協会のJemi Sudhakar博士が書いた論文のネット公開版でした。

　論文で紹介されている、怒りをコントロールするために気をつけるべき、控えるべき言葉とは、以下の四つです。英語表現だとニュアンスの差はあるので、原文ではMust、Should、Oughtが別々ですが、『SBS』が四つにまとめていたので、私も四つにまとめてみます。

その1．いつも（Always）
その2．決して（Never）
その3．やらないといけない／やってはいけない
　　（Should or Shouldn't／Must or Mustn't／Ought to or Oughtn't to）
その4．公正ではない（Not Fair）

例文として、こうなります。「You always do that（あなたはいつもそうだ）」「You never listen to me（あなたは私の言葉を決して聞かない）」「You should do what I want（あなたは私が望むことをやるべきなんですよ）」「People ought to get out of my way（人々は私の邪魔をしてはいけないのです）」、そして「こんなのって、公正ではありませんよ（not fair）」。

これらの言葉、日本に来てからあまり聞かなくなったなと本稿を書きながら改めて思いました。この件をブログに書いたら、コメント欄に「日本だと夫婦喧嘩に見える」と書いてあって、そういう認識かと笑ってしまいました。韓国にいたときには、無数に聞きました。しかも、すべてではないにせよハン（恨）レベルの会話、人間関係の完全破綻ギリギリのレベルの会話を。

基本的に、相手から直接言われることより第三者のことでこういう表現をよく耳にしました。たとえば、知り合いと二人でいたら、相手が急にその場にいない人の話をして「○○さんって、いつも～なんですよね」と。その次に必ず出てくるのが、ちょうど論文の例文と同じく、「私の話を『まったく』聞いてくれない」などです。論文の訳は「決して」

にしましたが、韓国語的には「まったく」が多かった気がします。「いつも」と「まったく」は、例外を認めないという意味になります。この話に「例外」を持ち込むな、という前提をつくっているわけです。だから、必然的に「〜でなければならない」が出てきます。

韓国では基本的に、人間関係、韓国では「情（ジョン）」とも言いますが、そんな関係だけではどうにもならなくなったとき、特に「借したお金、返してくれ」と言われたときなどに定番フレーズとして出てきます。「私にこんなことをしてはいけないのだよ」、「私たちの関係ってこんなものだったのか」といった内容を強調します。こんなものではないから、こうなってはいけない、と。借りた金は返さないといけません。その「〜しないといけない（すべき）」を、倫理的な「〜でなければならない」で上書きするわけです。そして、それでも自分の要求が通じなかった場合、出てくることは一つだけ。「こんなの、公正ではない」です。「正しくない」と書いたほうがいいかもしれません。

日本に来てから聞いた「いつも」は、どちらかというと「私ってばいつもこうなんだよね〜」とドジっ子っぷり（?）を自嘲するときなど、どちらかというと自分向けに使うことが多い気がします。他人への不満の意味で使う表現は、聞いたことがありません。「まったく」もまた、他人への不満や怒りとしてではなく、日本では何かの強調（実際に「まった〜く」とは思わないけど、強調の意味として）として用いることはありますが。「〜でなければならない」」の類は、本当に聞いたことがありません。公正ではないという話も、格差など社会問題の提起においてニュース番組などで聞くことがありますが、日常で耳にすることはそうありませんでした。どちらかというと、公正か否かより、「超えてはならない線を超えた逸脱」の案件に対して、世論が一気に動く現象はありました。

そう考えていたら、「あ、たしかにこれ『韓国の絶望　日本の希望』でも成立するのではないか」と思うようになったわけです。特に、個人的に日本で住みながら感じたこととしても、日本には「分断」がまだそうありません。何度も繰り返しで申し訳ございませんが、憤怒そのものは決して悪いものではありません。制御できれば、それは肯定的な力にもなります。憤怒は他人にだけ向けられるものではなく、自分自身の反省や改善にも向けられるものですから。

日本は昔から「恥は自分によるもの」とする考え、「話せば分かる」などの考えがあるからか、怒りが他人にだけ向けられ、そのまま分断につながることは韓国ほど目立ちません。日本の場合、韓国や浅い見識ではありますが他の国から聞こえてくる話と比べても、日本社会の悪魔化はかなり弱く、あるとしてもかなり具体的に範囲が絞られます。漠然と広い範囲の集団に向けられることはありません。「悪魔化そのものが、恥ずかしいことである」とする社会共通の認識がまだ健在だからでしょう。それは、毎日聞こえてくる言葉の心地良さがあるかぎり、そう簡単には崩れないでしょう。聞こえてくるというのは、誰かが言っているからです。「こんにちは」「すみません」「ありがとうございます」「ごちそうさまでした」。私が言わないと誰かに聞こえるはずもないでしょう。

できるかぎり多くの「心地良さの響き」を込めた言葉を口にしながら生きていきたい、そう思う今日この頃です。それが少しずつ集まれば、分断なき社会という「希望」にもつながることでしょう。憤怒なき社会なら微妙ですが、分断なき社会なら、それは希望と呼ばれるに十分な資格となりえましょう。

シンシアリー(SincereLEE)

1970年代、韓国生まれ、韓国育ちの生粋の韓国人。歯科医院を休業し、2017年春より日本へ移住。2023年帰化。母から日韓併合時代に学んだ日本語を教えられ、子供のころから日本の雑誌やアニメで日本語に親しんできた。また、日本の地上波放送のテレビを録画したビデオなどから日本の姿を知り、日本の雑誌や書籍からも、韓国で敵視している日本はどこにも存在しないことを知る。アメリカの行政学者アレイン・アイルランドが1926年に発表した「The New Korea」に書かれた、韓国が声高に叫ぶ「人類史上最悪の植民地支配」とはおよそかけ離れた日韓併合の真実を世に知らしめるために始めた、韓国の反日思想への皮肉を綴った日記「シンシアリーのブログ」は1日10万PVを超え、日本人に愛読されている。初めての著書『韓国人による恥韓論』、第2弾『韓国人による沈韓論』、第3弾『韓国人が暴く黒韓史』、第4弾『韓国人による震韓論』、第5弾『韓国人による嘘韓論』、第6弾『韓国人による北韓論』、第7弾『韓国人による末韓論』、第8弾『韓国人による罪韓論』、第9弾『朝鮮半島統一後に日本に起こること』、第10弾『「徴用工」の悪心』、第11弾『文在寅政権の末路』、第12弾『反日異常事態』、第13弾『恥韓の根源』、第14弾『文在寅政権最後の暴走』、第15弾『卑日』、第16弾『尹錫悦大統領の仮面』、第17弾『韓国人の借金経済』(扶桑社新書)など、著書は70万部超のベストセラーとなる。

扶桑社新書 485

# 韓国の絶望、日本の希望

発行日 2024年1月1日　初版第1刷発行

著　　者………シンシアリー
発 行 者………秋尾 弘史
発 行 所………株式会社 扶桑社
〒105-8070
東京都港区芝浦1-1-1 浜松町ビルディング
電話 03-6368-8870(編集)
03-6368-8891(郵便室)
www.fusosha.co.jp

DTP制作………株式会社 Office SASAI
印刷・製本………中央精版印刷 株式会社


Printed in Japan　ISBN 978-4-594-09527-7